Breuddwyd
Nos Ŵyl Ifan

WILLIAM SHAKESPEARE

Breuddwyd Nos Ŵyl Ifan

FERSIWN GYMRAEG
GAN
GWYN THOMAS

UNED IAITH GENEDLAETHOL CYMRU
CBAC

Breuddwyd Nos Ŵyl Ifan

Fersiwn Gymraeg gan Gwyn Thomas o ddrama William Shakespeare,
A Midsummer Night's Dream

(h) Gwyn Thomas 1999 ©

ISBN 1 86085 420 6

Comisiynwyd y fersiwn hon a'i chyhoeddi dan nawdd
Cynllun Cyhoeddiadau Cyd-bwyllgor Addysg Cymru.

Mae Uned Iaith Genedlaethol Cymru yn rhan o WJEC CBAC Cyf.,
elusen gofrestredig a chwmni a gyfyngir gan warant ac a reolir
gan awdurdodau unedol Cymru.

Llun y clawr: © Tony Stone Images / Vera R Storman

Argraffwyd gan Wasg Gomer, Llandysul, Ceredigion.

Y DDRAMA

Y mae'r ddrama hon yn perthyn i ddiwedd yr unfed ganrif ar bymtheg (1594-6). Y tebyg yw ei bod hi, i ddechrau, yn ddrama a gysylltid â dathlu priodas. Yn sicr y mae hi'n ddrama sy'n trafod priodas a chariad.

Y mae'r stori sydd yn y ddrama yn eithaf syml: y mae Theseus, Dug Athens, am briodi Hippolyta, ac ar ddechrau'r ddrama y mae paratoadau ar gyfer y briodas yn mynd yn eu blaen. Yn llys Theseus y mae yna broblem - ynghylch cariad. Y mae Egeus, tad Hermia, am i'w ferch briodi Demetrius; ond y mae hi mewn cariad â Lysander. Nid dyna'i diwedd hi: y mae ffrind Hermia, sef merch o'r enw Helena, mewn cariad â Demetrius - ond, y mae o i fod i briodi Hermia, ac y mae mewn cariad â honno! Yn ôl cyfraith Athens, os gwrthodai Hermia ufuddhau i ewyllys ei thad Egeus fe allai hwnnw orfodi ei ferch i gael ei lladd, neu i fod yn lleian na fyddai byth yn cael priodi. Mae Lysander a Hermia yn penderfynu dianc, ac yn mynd i goedwig wrth ymyl Athens. Mae Hermia a Lysander yn gadael i Helena wybod eu bod yn bwriadu ffoi o Athens ac, i geisio ennill ffafr Demetrius, mae Helena'n dweud y cyfan wrth hwnnw. Y mae yntau hefyd, a Helena i'w ganlyn, yn mynd i'r goedwig. Dyma inni un math o bobl, sef uchelwyr Athens.

Yn y man fe welwn ni fath arall o bobl yn y goedwig, sef criw o weithwyr go anneallus ond digon annwyl sydd yn ymarfer i geisio cyflwyno drama ar gyfer priodas Theseus a Hippolyta. Drama wedi ei seilio ar hen stori yw'r ddrama hon, sef stori am garwriaeth Pyramus a Thisbe. Yn y stori honno 'dyw rhieni Pyramus a Thisbe ddim am iddynt briodi. Y maen' nhw'n siarad â'i gilydd trwy hollt mewn wal, ac yn trefnu i gyfarfod wrth feddrod Ninus. Thisbe sy'n cyrraedd yno gyntaf, ond y mae hi'n cael ei dychryn gan lew ac yn rhedeg ymaith. Wrth redeg y mae hi'n colli rhan o'i gwisg. Mae'r llew yn snwyro'r dilledyn ac yn ei orchuddio â gwaed. Yna daw Pyramus yno, gweld y dilledyn gwaedlyd a meddwl fod Thisbe wedi cael ei lladd. Wrth weld hyn y mae'n tynnu ei gleddyf ac yn ei ladd ei hun. Wedyn daw Thisbe yn ei hôl, gweld Pyramus, ac yna y mae hithau'n ei lladd ei hun â'r un cleddyf. Fe welwn ni fod hon yn stori drist iawn, yn un eithaf tebyg i stori Romeo a Juliet (a'r ddrama-gerdd a'r ffilm *West Side Story* a seiliwyd ar ddrama Shakespeare am y ddau gariad hyn). Ond, fel y chwaraeir hi gan yr actorion, y mae'r ddrama'n troi yn un gomig. Ond fe sylwn fod hon yn stori lle y mae rhieni'n dwyn tristwch mawr arnynt eu hunain trwy wrthod derbyn cariad eu plant at ei gilydd - y maent yn ymddwyn fel y mae Egeus. Ond ni ddaw'r tristwch hwn i'w ran o.

Y mae a wnelo'r trydydd math o bobl - os pobl hefyd - sydd yn y ddrama â hyn: hwy yw'r Tylwyth Teg. Oberon yw Brenin y Tylwyth Teg a Titania yw ei wraig. Puck, neu Robin Goodfellow, yw gwas Oberon. Y mae'r cymeriadau hyn yn gymeriadau sy'n perthyn i fyd hud a lledrith. Yn y ddrama fe ddywedir eu bod nhw'n fach, fach - y maen' nhw hyd yn oed yn gallu ffitio i gatiau mes, sef plisgyn mesen sy'n tyfu ar goeden dderw (II.1.30-31). O ran actio drama, y mae'n rhaid inni anwybyddu'r ffaith eu bod nhw mor fach - er y gellid eu cyflwyno fel bodau bach, bach ar ffilm. Y mae hi'n ffrae rhwng Oberon a Titania, am y rheswm syml fod gan Titania hogyn bach o India yn was iddi, a'i bod hi'n gwrthod rhoi hwn i fod yn was i Oberon (II.1.18-31). Am eu bod nhw wedi ffraeo mae byd natur yn ddiffrwyth - 'dyw'r cnydau ddim yn tyfu a'r anifeiliaid ddim yn magu (II.1.81-100). Dyma inni awgrym fod yn rhaid i bethau fod yn dda ac yn gariadus cyn y gwnan' nhw ffynnu. Y mae Oberon, gyda help (blêr) Puck, yn chwarae tric ar Titania ond yn ceisio gwneud pethau'n iawn rhwng Lysander a Hermia, a Demetrius a Helena. Ac, yn wir, y mae popeth yn dda erbyn diwedd y ddrama.

Yn y ddrama y mae gennym ni sefyllfa a allai fod wedi troi i fod yn un ddychrynllyd a thrasig, ond nid felly y mae hi. Y mae popeth yn dda ar ddiwedd y ddrama hon, fel y dywedwyd, a dyna inni un rheswm am ei galw hi'n gomedi. Y mae rheswm arall, llawer iawn mwy dealladwy i ni, sef bod ynddi hi lawer iawn o bethau digrif yn digwydd - hynny yw, os ydi'r ddrama'n cael ei hactio'n iawn!

Y mae yna un mater pwysig yn cael ei drafod yn y ddrama hon, sef pa fath o beth yw cariad. Y mae Egeus, tad Hermia, yn ddyn sy'n byw yn ôl ei hawliau, hawliau gwlad a hawliau'r llys. Yn ôl yr hawliau hynny fe all gael rhoi ei ferch i farwolaeth os yw hi'n gwrthod ufuddhau iddo ac yn priodi'r un y mae hi'n ei garu:

> Gan ei bod hi'n eiddo i mi, fe alla' i
> Ei rhoi hi i'r gŵr bonheddig hwn [Demetrius], neu ynteu
> I'w marwolaeth, fel y nodir yn benodol
> Yn ein cyfraith ar gyfer achos felly. (I.1.42-45)

Dyma inni fyd y llys a byd rheswm. Ond y mae cariad yn torri ar draws hyn i gyd.

Y mae'r goedwig y mae'r cariadon yn ffoi iddi yn wahanol i fyd y llys, y mae'n lle gwyllt, yn lle naturiol, yn lle nad ydi o ddim yn dilyn rheolau dynion. Y mae cariad yn rym o'r goedwig, yn rhyw nerth naturiol, yn perthyn i fyd y dychymyg, sydd yn gallu mynd y tu draw i reswm a'r tu draw i gynlluniau taclus pobl. Y mae yna ochr dda i'r dychymyg, ac ochr ddrwg hefyd: yn y ddrama hon, yr ochr dda a ddangosir. Fe ddywedir hyn:

> Mae gan gariadon ac ynfydion y fath 'menyddiau berw,
> Y fath ddychymyg i greu ffurfiau, sy'n canfod
> Mwy nag y gall rheswm oer ei ddeall byth.
> Mae'r lloerig, y carwr, a hefyd y bardd
> Wedi'u gweu o ddychymyg i gyd. (V.1.4-8)

Fe all y teimlad sy'n dod dros gariadon - fel y dylai pobl ifanc wybod yn well na neb - droi pethau fel eu bod nhw'n wahanol iawn i'r hyn y maen' nhw'n ymddangos i bobl eraill, yn enwedig pobl mewn oed. Yn y ddrama hon y mae sudd blodyn, sydd yn sefyll am rym serch, yn gallu gwneud pethau rhyfedd iawn i bobl - y mae hyd yn oed yn gallu gwneud i Titania syrthio mewn cariad â Bottom sydd yn ddyn efo pen asyn! Y mae grym cariad yn gryf, ac fe all fod yn beryglus - y mae miloedd wedi "colli eu pennau", fel y dywedir, am gyfnodau a meddwl fod pethau digon ód yn ddeniadol ac yn dlws. Y mae'n bosib i rywun ddod ato ei hun wedyn, a gweld pethau'n wahanol - fel, am ddim rheswm, fod rhywun yn peidio â bod mewn cariad, ac yn gweld yr un a garwyd fel peth digon annymunol. Dyna a ddigwyddodd i Titania. Y mae rhywun fel pe bai'n deffro o ryw freuddwyd ryfedd. Ond fe all rhywun beidio â deffro, neu beidio â deffro'n gyfan gwbl. Mewn stad felly, y mae peth o ddylanwad y freuddwyd yn aros. Dyna sy'n digwydd i Demetrius, er enghraifft, a dyna sy'n digwydd i Bottom yntau.

Y mae Bottom yn ceisio esbonio sut y mae'n teimlo, ac yn methu:

> 'Dydi llygad dyn heb glywed, 'dydi clustiau dyn heb weld,
> 'dydi llaw dyn ddim yn gallu blasu, na'i dafod amgyffred,
> na'i galon o ddweud be oedd fy mreuddwyd i. (IV.2.214-218)

Y mae'r pwt cymysglyd hwn yn dweud i'r dim fod yna ryw ryfeddod na ellir ei esbonio ym mywydau amryw byd o bobl. Fe elwir y rhyfeddod yn y ddrama hon yn "freuddwyd", grym ydyw sydd y tu allan i reolaeth rheswm. Yn y ddrama hon y mae ei ddylanwad yn dda.

Fel sy'n briodol iawn mewn drama fel hon, y mae ynddi hi lawer iawn o hudoliaeth hyfryd, a llawer iawn o hwyl. Byddai gweld perfformiad da o'r ddrama yn help i bob un ohonom ni sylweddoli mor gyfoethog yw hi.

Y FERSIWN HON

Un peth bach ar y dechrau, fe ddywed rhai mai gair gwrywaidd yw "fersiwn", ond benywaidd ydyw i'r rhan fwyaf o bobl yr wyf fi'n eu hadnabod, a benywaidd ydyw yma.

Gan fod llawer o linellau'r ddrama Saesneg yn odli, 'doedd hi ddim yn bosib cadw'n hollol glòs at y gwreiddiol, am y rheswm syml nad yw'r un geiriau am yr un pethau yn odli yn y Gymraeg ac yn y Saesneg. Yr hyn yr anelwyd ato yw cadw ystyr, cyn belled ag y gellid, ond ceisio cadw ysbryd y gwreiddiol yn fwy fyth. Y mae'n beth rhyfedd, ond fe all odl yn aml fod yn fwy pwysig i ysbryd ystyr na chadw ystyr - o leiaf yn fy marn i. Dyma ichwi enghraifft: tua diwedd y ddrama y mae Puck yn dweud hyn yn y Saesneg:

> I am sent, with broom, before,
> To sweep the dust behind the door. (V.1.391-2)

"Broom" yn Gymraeg ydi un ai "brws" (ynganer "brwsh") neu "sgubell". Fe roddwyd cynnig ar gael ystyr fel hyn:

> Anfonwyd fi o'u blaen [sef y Tylwyth Teg] â'm brws,
> I sgubo'r llwch tu ôl i'r drws. (V.1.394-5)

Odl dila iawn sydd yma, ac oherwydd hynny y mae'r cyfan ymhell iawn o naws y gwreiddiol. Yn y pen draw fe benderfynais na ellid cael odl i ystyr y gwreiddiol - y mae'r geiriau sy'n odli â "drws" yn Gymraeg yn felltigedig o brin - a mynd am rywbeth a oedd yn ysbryd y gwreiddiol hyd yn oed os nad oedd yn llythrennol gywir, a hyd yn oed os oedd pwt o ychwanegiad yn swnio fel geiriau llanw. Dyma'r hyn a welir yn y testun:

> Anfonwyd fi o'u blaen - mor dlws! -
> I sgubo'r llwch tu ôl i'r drws. (V.1.394-5)

Er mwyn hwylustod fe rifwyd y llinellau. Weithiau y mae i'r llinellau yr un rhifau â'r testun Saesneg, weithiau ddim. Gellid rhifo'r un fath os oedd darnau o farddoniaeth heb doriadau o ryddiaith rhyngddynt. Os oedd rhyddiaith, yna fe ddibynnai'n hollol ar hyd y llinellau hyn o ryddiaith ar y dudalen.

Dylid dal sylw ar un peth, sef bod yna hanner llinellau yn y farddoniaeth: dau hanner llinell sy'n gwneud un gyfan a fydd yn cael ei dynodi â rhif, fel hyn: disgrifir y lloer fel bwa sy'n canfod y nos y gweinyddir priodas Theseus a Hippolyta, bydd fel bwa:

HIPPOLYTA:	Arian newydd-blyg ganfydda nos	10
	Gweinyddu ein priodas.	
THESEUS:	Dos, Philostrate...	11

Yn y fersiwn argraffedig hon y mae'r rhyddiaith wedi ei gosod mewn colofnau tenau, nid annhebyg i farddoniaeth: ond rhyddiaith ydyw. Nid oes prif lythrennau ar ddechrau llinellau o ryddiaith; y maen' nhw yno yn y farddoniaeth.

Gosodwyd esboniadau hanfodol ar waelod y tudalennau lle y mae gofyn am gyfeiriadau am y rheswm syml mai dim ond darllenwyr eithriadol o gydywbodol sydd byth yn troi at nodiadau sydd yn nhu ôl llyfrau.

Y mae un mater arall y dylid ei esbonio. Fe welir cysylltnodau rhwng rhai geiriau: arweiniad ynghylch ynganiad yw hyn. Dyma'r egwyddor: bwrier fod y ddau air **arna' i** wedi eu hargraffu fel yna, y maent yn cynrychioli tri sillaf **ar-na i**. Os oes cysylltnod rhyngddynt, fel hyn: **arna'-i**, y mae'r cyfan i'w ynganu fel **arnai**, hynny yw, yn ddeusill, **ar-nai**.

Yr wyf yn dra dyledus i Alun Treharne o Gyd-bwyllgor Addysg Cymru am bob help a chefnogaeth, ac i Dr Anne Elisabeth Williams am fynd trwy'r cyfan gyda chrib mân. Yr wyf yn diolch yn fawr iddynt, ond os oes unrhyw frychau ar ôl, fi sy'n gyfrifol am y rheini - fel arfer, dyna'r pethau cyntaf y bydd fy llygad yn taro arnynt pan ddaw testun argraffedig i'm llaw!

Gwyn Thomas

DRAMATIS PERSONAE

THESEUS, Dug Athens

EGEUS [ynganer Eg-é-us], tad Hermia

LYSANDER, mewn cariad â Hermia

DEMETRIUS

PHILOSTRATE, Meistr y Rhialtwch i Theseus

PETER QUINCE, saer coed, y Prolog yn y ddrama

SNUG, saer dodrefn, y Llew yn y ddrama

NICK BOTTOM, gwehydd, Pyramus yn y ddrama

FRANCIS FLUTE, trwsiwr meginau, Thisbe ("Thisby" a ddywed yr actorion) yn y ddrama

TOM SNOUT, tincer, y Wal yn y ddrama

ROBIN STARVELING, teiliwr, Lloergan yn y ddrama

HIPPOLYTA, Brenhines yr Amazoniaid, dyweddi Theseus

HERMIA (byr a thywyll), merch Egeus, mewn cariad â Lysander

HELENA (tal a golau), mewn cariad â Demetrius

OBERON, Brenin y Tylwyth Teg

TITANIA, Brenhines y Tylwyth Teg

PUCK, neu Robin Goodfellow

PYS PÊR		
GWËYN		Tylwyth Teg
GWYFYN (neu Gronyn)		
HEDYN MWSTARD		

Ychwaneg o Dylwyth Teg yn gweini ar eu Brenin a Brenhines

Swyddogion Theseus a Hippolyta

Yr Olygfa: Athens, a choed gerllaw

BREUDDWYD NOS ŴYL IFAN

ACT I

GOLYGFA I

Palas Theseus, Athens

Daw Theseus, Hippolyta, Philostrate i mewn gydag eraill.

THESEUS: Yn awr, y deg Hippolyta, prysura
Awr ein priodas. Ac ymhen pedwar dedwydd
Ddydd daw lleuad arall; ond, O, mor araf
Dybia' i y pyla'r hen! Y mae hi'n
Oedi 'neisyfiadau, fel llysfam neu   5
Fel gweddw'n hir grebachu modd gŵr ifanc.

HIPPOLYTA: Pedwar dydd ymsudda yn fuan yn y nos,
A buan y breuddwydia y nosau'r amser ymaith;
Yna, yn y nef, y lloer fel bwa
Arian newydd-blyg ganfydda nos   10
Gweinyddu ein priodas.

THESEUS: Dos, Philostrate,
A styria di laslanciau Athens i
Gael hwyl; a deffra ysbryd sionc difyrrwch,
A gyrra i angladdau drwm feddyliau;
Nid yw'r cydymaith gwelw'n hoffi ein rhialtwch.   15

Exit Philostrate.

Hippolyta,* â 'nghleddau y bu i mi
Dy garu, cael dy serch, gan beri niwed iti;
Ond fe brioda'-i di mewn cywair arall,
Â sioe, a llwyddiant, a gorfoledd mawr.

*Daw Egeus a'i ferch Hermia, a Lysander, a
Demetrius i mewn.*

EGEUS: Dedwydd fyddo Theseus, ein Dug enwog.   20

THESEUS: Egeus dda, can diolch. A pha newydd 'sgen-ti?

EGEUS: Rwy'n dod yn llawn o flinder, gan gwyno am
Fy mhlentyn, fy merch-i, Hermia - dyma hi.

---

16   Cymerodd Theseus Hippolyta'n garcharor pan orchfygodd yr Amazoniaid.

1

Demetrius, saf di yma. Fy arglwydd da,
Y mae gan hwn fy nghaniatâd i'w phriodi.   25
Lysander, saf di yma. A, fy ngrasol Ddug,
Fe fwriodd hwn ei hud i fron fy merch.
Ti, ti, Lysander, fe roist ti iddi odlau,
A ffeirio gyda'm merch lythyrau serch.
Fe fuost dan ei ffenest hi ar loergan   30
Yn canu, â llais ffals, benillion ffals
O serch, creu delw'n ei dychymyg hi
Â breichledau o dy wallt, modrwyau,
Tlysau, manion bach, petheuach, pwysi,
Melysion, a negeswyr cry'u perswâd ar ienctid gwan.   35
Yn gyfrwys cipiaist ti ei chalon hi,
Fy merch, troi ei hufudd-dod, sydd i mi'n
Ddyledus, yn ben-g'ledwch cyndyn. A,
Fy Nug gwir rasol, os nad ildith hi
Yma, ger dy fron, i briodi â   40
Demetrius, fe hawlia'-i fraint hynafol Athens:
Gan ei bod hi'n eiddo i mi, fe alla' i
Ei rhoi i'r gŵr bonheddig hwn, neu ynteu
I'w marwolaeth, fel y nodir yn benodol
Yn ein cyfraith ar gyfer achos felly.   45

THESEUS: Be ddwedi dithau, Hermia? Cym' gyngor, eneth deg.
Fe ddylai fod dy dad i ti fel duw
A greodd dy geinderau; ac yn wir
Mae'n un nad wyt ti iddo ond fel ffurf
Mewn cwyr y seliwyd arno'i argraff, ac fe all   50
Ef adael ynddo'r ffurf, neu ei anffurfio.
Y mae'r Demetrius hwn yn ŵr bonheddig teilwng.

HERMIA: A Lysander hefyd.

THESEUS: Ynddo'i hun y mae;
Ond yn yr achos hwn, heb ganddo lais
Dy dad, teilyngach ydi'r llall.   55

HERMIA: O na bai 'nhad yn edrych â fy llygaid i.

THESEUS: Yn hytrach rhaid i ti weld yn ôl ei farn.

HERMIA: Rwy'n erfyn ar eich Gras - eich pardwn im.
Wn i ddim pa rym a'm gwna i'n hy,
Na sut y gall amharu ar fy ngwyleidd-dra,   60
Yn eich gŵydd i bledio'm myfyrdodau;
Ond rwy'n erfyn ar eich Gras i adael
Imi wybod y gwaetha' all ddigwydd imi
Yma, os na phrioda' i Demetrius.

THESEUS:

Un ai marw y farwolaeth, neu   65
Wadu am byth gymdeithas dynion.
Felly, Hermia deg, hola'th ddeisyfiadau;
Ystyria dy ieuenctid, archwilia di dy angerdd,
A elli di, os nad ildi di
I'r dewis wnaeth dy dad, ddioddef lifrai lleian,   70
A chael dy gau am byth yng nghysgod clas
A byw yn chwaer ddi-blant ar hyd dy oes,
Yn siantio hymnau gwan i'r lleuad ddiffrwyth, oer.*
Mae'r rhai sydd felly yn gwastrodi'u gwaed ar
Forwynol bererindod yn deirgwaith wynfydedig.   75
Mwy priddlyd ddedwydd ydi'r rhosyn a ddistyllwyd,*
Na hwnnw wrth wywo ar wyryfol ddrain
Sy'n tyfu, byw, a marw mewn gwynfyd wrtho'i hun.

HERMIA:

Felly y tyfa' i, a byw, a marw, f'arglwydd
Cyn 'r ildia'-i byth fy mraint forwynol   80
I'w arglwyddiaeth e', na chydsynia
F'enaid i roi teyrnas iddo dan ei iau.

THESEUS:

Cym' amser i ymbwyllo; cyn y lloer newydd nesaf -
Y dydd i selio rhyngof fi a 'nghariad
Am byth y cwlwm ar ein mwyn gyfeillach -   85
Y dydd hwnnw un ai paratô i farw
Am anufuddhau i'r hyn a fynn dy dad,
Neu ynteu i briodi - fel y mynn - Demetrius,
Neu ynteu ar ei hallor hi Diana
I brotestio am galedi a byw heb briodi byth.   90

DEMETRIUS:

Ildia di, fwyn Hermia: a Lysander, ildia
Dy ymgais orffwyll am fy hawl bendant i.

LYSANDER:

Mae gen-ti serch ei thad, Demetrius;
Gad i mi serch Hermia: prioda di â fô.

EGEUS:

Lysander wawdlyd! Mae ganddo'm serch, mae'n wir: 95
A'r hyn sy'n eiddo i mi - fy serch a'i rhodda iddo.
Fi biau hi, a'm hawl yn hollol arni
Rwyf yn ei rhoi-hi i Demetrius.

LYSANDER:

F'arglwydd, yr wyf fi mor dda fy nhras ag e',
Ac mor fawr fy nghyfoeth; mae 'nghariad i yn fwy;   100
Y mae fy siawns ym mhob rhyw ffordd lawn cystal

---

73   Ystyrid mai Diana, duwies diweirdeb, oedd y lleuad.

76   Distyllwyd: gwneud peraroglau ohono.

3

(Os nad gwell) ag ydi siawns Demetrius;
At hyn, sy'n fwy na'r holl ymffrostio hwn,
Mae Hermia brydferth yn fy ngharu i.
Felly pam na ddylwn i fynd am fy hawl?   105
Demetrius, fe'i dwedaf yn ei ddannedd
Fu'n caru â Helena, merch i Nedar,
A chipio'i henaid; ac mae hi, yr eneth fwyn,
Yn dotio'n ddefosiynol, dotio hyd eiluno
Ar y gŵr brith, annibynadwy hwn.   110

THESEUS: Rhaid i mi gyfaddef imi glywed hyn,
                A meddwl sôn amdano wrth Demetrius;
                Ond, yn or-brysur gyda f'amgylchiadau,
                Fe gollais olwg arno. Ond, Demetrius, tyrd;
                A thyrd, Egeus. Cewch ddod gyda mi;   115
                Mae gen i gerydd, o'r naill du, i chwi.
                Ti, Hermia deg, gofala ymarfogi
                I weddu dy ddychmygion wrth ewyllys tad;
                Neu bydd cyfraith Athens yn dy draddodi di -
                Ac ni ellir mewn un modd ei esgusodi -   120
                I farw, neu i lw o fyw heb briodi.
                Tyrd, Hippolyta. Pa hwyl, fy aur?
                Demetrius ac Egeus, dewch yn awr.
                Rhaid i mi roi gwaith i chwi ynglŷn
                Â'n priodas, a chael gair â chwi   125
                Am fater sy'n ymwneud yn glòs â chwi.

EGEUS: Dilynwn di o wirfodd a dyletswydd.
                                    Exeunt pawb ond Lysander a Hermia.

LYSANDER: Be sy, fy aur! Pam fod dy wedd mor welw?
                Pam fod y rhosys yno'n gwywo'n chwim?

HERMIA: O eisiau glaw, efallai; y gallwn i   130
                Eu dyfrio â'r storm sydd yn fy llygaid.

LYSANDER: Gwae fi! O bopeth allwn i ei ddarllen 'rioed,
                Neu fyth ei glywed trwy hanes neu drwy chwedl,
                Ni fu i gwrs gwir serch fynd yn llyfn erioed;
                Un ai'r oedd o ran gwaedoliaeth yn wahanol - 135

HERMIA: O groes! Rhy uchel i'w gaethiwo ag isel!

LYSANDER: Neu wedi ei gam-ieuo o ran oed -

HERMIA: O wawd! Rhy hen i'w gyd-gysylltu ag ifanc!

LYSANDER: Neu fe ddibynnai ar ddewis gan gyfeillion -

HERMIA: O uffern! Dewis serch trwy lygaid rhywun arall!   140

LYSANDER: Neu, a bod cyd-ymdeimlo yn y dewis,
Gwarchaeai rhyfel, salwch, angau arno,
Gan ei wneud mor fyr, dros-dro â sŵn,
Mor chwim â chysgod, mor gwta ag unrhyw freuddwyd,
Mor fyr-barhad â mellten yn y ddunos,   145
Ysydd, mewn fflach, yn dangos daer a nef,
A chyn fod neb yn gallu dwedyd "Wele!"
Mae genau y tywyllwch yn ei difa:
Mor sydyn y dyrysir pethau disglair.

HERMIA: Os felly, aeth pethau'n groes erioed i bob   150
Cariadon da, mae hyn yn un o ddeddfau ffawd:
Ac felly, dysgwn waith amynedd, am fod y groes
Yn un gyffredin; i serch mae mor ddyledus
Â meddyliau, breuddwydion, ochneidiau, dagrau,
Dymuniadau, sef dilynwyr Cariad truan.   155

LYSANDER: Egwyddor dda. Ac felly, Hermia, gwranda.
Mae gen i fodryb weddw, dda-waddolog
A thra chefnog, a heb fod ganddi blant.
Y mae ei thŷ'n saith milltir bell o Athens,
Ac y mae hi'n fy mharchu fel ei hunig fab.   160
Yno, Hermia dyner, y galla' i dy briodi,
Ac yno ni all cyfraith Athens lem
Ein herlid ni. Os wyt ti'n fy ngharu i,
Yna, sleifia di o dŷ dy dad, nos 'fory;
Ac yn y coed, sydd filltir draw o'r dref,   165
Lle cwrddais i di gynt â Helena,
I dalu ein gwrogaeth i fore o Fai,
Yno y disgwylia'-i di.

HERMIA: Lysander dda!
Fe dynga'-i iti, ar fwa cryfaf Ciwpid,
Ar ei saeth orau sydd â'i phen yn aur,*   170
Ar ddiniweidrwydd colomennod Fenws,
Ar 'r hyn sy'n nyddu 'neidiau, gwneud cariad yn ffyniannus,
Ac ar y tân a losgodd frenhines Carthago*
Pan welwyd fô - y Troead ffals - yn hwylio;

170   Ciwpid oedd duw serch. Yr oedd ei saethau pennau-aur yn achosi cariad, a'i saethau pennau-plwm yn achosi atgasedd.

173   Brenhines Carthago (Carthage) oedd Dido; fe'i taflodd ei hun ar goelcerth angladd pan adawodd y Troead, Aeneas, hi.

Ar yr holl lwon hynny a dorrodd gŵr erioed,   175
(Sy'n fwy na ddwedodd gwragedd hyd yn oed)
Yn y lle hwnnw'n union yn awr a nodaist ti,
Yfory, mewn gwirionedd, y cwrddi di a mi.

LYSANDER: Cadw d'air, yr aur. Edrycha - Helena.

Daw Helena i mewn.

HERMIA: Duw gyda thi Helena deg! Ple'r ei di?   180

HELENA: A elwi di fi'n deg? Dad-ddweda'r "teg".
Demetrius hoffa'th degwch di. O degwch da!
Sêr yw dy lygaid, cân dy dafod â
I glust y bugail yn berach na chân 'hedydd
Pan fo glas yr ŷd, pan flagura'r draenwydd.   185
Hawdd dal clefyd. O, na bai tegwch felly!
Dy degwch ddaliwn, Hermia deg, cyn cefnu;
Daliai 'nghlust dy lais, fy llygad i dy lygad,
A daliai 'nhafod i bêr gân dy dafod.
Pe meddwn i y byd - yn gyfan ond Demetrius -   190
Fe rown i e'-i gyd am fod yn chdi, Helena dlws.
O, dysg im sut i edrych, ym mha fodd
Y galla' i gael calon Demetrius imi'n rhodd.

HERMIA: Rwy'n cuchio arno, eto mae'n fy ngharu.

HELENA: O na rôi dy guwch gelfyddyd yn fy ngwenu!   195

HERMIA: Melltithiaf e', ond rhydd i mi ei gariad.

HELENA: O na fai fy ngweddïau yn debyg eu dylanwad!

HERMIA: Po fwya' 'nghas, po fwya' mae'n fy nghanlyn.

HELENA: Po fwya'm serch, po fwya' mae'n fy erlyn.

HERMIA: Helena, nid arnaf fi mae'r bai ei fod mor ffôl.   200

HELENA: Dy fai di yw dy degwch: o na bai fi biau'r bai!

HERMIA: Cym' gysur. Ni chaiff weld fy wyneb mwy;
Y mae Lysander gyda mi am ffoi o'r plwy'.
Yr amser cyn i mi 'rioed weld Lysander,
I mi roedd Athens fel paradwys dyner.   205
O, felly, y fath ras sydd ynddo fe,
A drôdd yn uffern fan oedd, wir, yn ne'!

LYSANDER: Helena, i ti datgelwn ni'n meddyliau.
              Nos 'fory, pan fydd i Phoebe'n ddiau*
              Weld yn y dyfrllyd ddrych ei hwyneb arian,   210
              Gan daenu hylif perl ar bob rhyw weiryn,
              Yr adeg sydd o hyd yn celu ffoi cariadon,
              Trwy byrth Athens fe sleifiwn ni yn union.

HERMIA: Ac yn y coed, lle bu i ti a mi
              Yn aml orwedd ar welwon wlâu briallu,   215
              Gan arllwys cyngor peraidd ein mynwesau,
              Yno fe gwrdda Lysander deg a minnau,
              Ac o Athens yno fe drown ni ein golygon,
              I geisio ffrindiau newydd, a cheisio cwmni estron.
              Ffarwél, gydymaith addfwyn. Gweddïa dithau drosom;   220
              Boed i lwc dda'i roi e', Demetrius, iti'n union!
              Lysander, cadw d'air. Llwgu'n gweld sy raid i ni
              O ymborth pob cariadon tan hanner nos yfory.

LYSANDER: Gwnaf fi, fy Hermia.   *Exit Hermia.*
                        Adieu, Helena iti.
              Fel i ti ffoli, boed i Demetrius yntau ffoli!   225
                                                          Exit Lysander.

HELENA: Mor hapus y gall rhai fod chwaethach *ni*!
              Trwy Athens fe'm hystyrir i mor deg â hi.
              Ond beth am hynny? Nid dyna farn Demetrius;
              'Fynn e' ddim gwybod peth ysydd i bawb yn hysbys.
              Ac fel y cyfeiliorna, gan ddotio ar lygaid Hermia,   230
              Felly finnau gan ddotio arno yntau.
              Y pethau heb ddim ceinder, y pethau isel, bas,
              Gall serch roi iddynt ffurf, gall iddynt roddi urddas.
              Ni 'drycha serch â'r llygaid, ond â'r meddwl yn ddi-wall,
              A pheintir Ciwpid felly'n asgellog ac yn ddall.   235
              Ni ddyry meddwl Cariad i unrhyw chwaeth ddim hid;
              Adenydd a dim llygaid ddynoda'i frys di-hid:
              Ac felly y dywedir mai plentyn ydyw Serch
              Cans twyllir ef mor aml i ddewisiadau erch.
              Fel, o ran hwyl, bydd bechgyn direidus yn camdyngu,   240
              Mae'r bachgen Serch yn tyngu anudon ar bob tu;
              Cans, cyn iddo fe, Demetrius, droi'i olwg arni hi,
              Fe fwriodd lu o lwon ei fod yn eiddo i mi;
              A phan fu i'r cesair fwriodd gael gwres oddi wrthi hi,
              Fe doddodd yntau wedyn a'i lw-gawodydd lu.   245
              Fe a' i ddwedyd wrtho am ei hynt hi, Hermia deg:

209   Phoebe, sef y lleuad.

I'r coed nos fory yntau a â yn wir ar redeg
I'w chanlyn hi; ac os am y newyddion yn hael
Y diolcha ef i mi, mae hyn yn drom o draul.
Ond trwy hyn oll bwriadaf fi gyfoethogi 'ngwae,   250
Ei weld e' yn mynd yno, a 'nôl i'r lle y mae.   *Exit.*

GOLYGFA II

Tŷ Quince.
Daw Quince y Saer Coed, a Snug y Saer Dodrefn, a Bottom y Gwehydd, a Flute y Trwsiwr Meginau, a Snout y Tincer, a Starveling y Teiliwr i mewn.

QUINCE: Ydi pawb o'r cwmni yma?

BOTTOM: Byddai'n well iti eu galw'n gyffredinol, un
               ac un, yn ôl y sgript.

QUINCE: Dyma sgrol o enwau pawb o'r dynion, a
               ystyrir yn addas, trwy Athens i gyd, i actio   5
               yn ein hanterliwt gerbron y Dug a'r Dduges,
               ar ddydd a noson ei briodas.

BOTTOM: Yn gyntaf, 'rhen Peter Quince, dwed am be
               mae'r ddrama'n sôn; yna darllena enwau yr
               actorion; ac felly dod i ben.   10

QUINCE: Cato pawb, ein drama ydi, "Comedi fwyaf
               adfydus, a marwolaeth greulonaf Pyramus a
               Thisby".*

BOTTOM: Darn da iawn o waith, yn wir i chi, ac un
               diddan. Rŵan, 'rhen Peter Quince, galwa enwau   15
               yr actorion odd'ar y sgrol. Fechgyn, gwahanwch.

QUINCE: Atebwch fel rydw i'n eich galw chi. Nick
               Bottom, y gwehydd.

BOTTOM: Barod. Dwed be ydi fy rhan i, a dos yn dy flaen.

I.ii   Y mae enwau'r gweithwyr yn Saesneg yn awgrymu eu gwaith:
        Bottom - cengl i droi edafedd amdani; *Quince* - "quines", blociau o goed at adeiladu; *Snug* - ffitio'n
        dynn; *Flute* - awgrym o feginau-ffliwt ar gyfer organau eglwysi; *Snout* - pig tegell; *Starveling* - cyfeiriad
        at deneurwydd diarhebol teilwriaid.

13   Chwedl glasurol am ddau gariad Pyramus a Thisbe. Camenwir y ferch yn "Thisby" gan yr actorion.

| QUINCE: | Rwyt ti, Nick Bottom, wedi cael dy roi i lawr | 20 |
| | ar gyfer Pyramus. | |

BOTTOM: Be ydi Pyramus? Carwr, ynteu teyrn?

QUINCE: Carwr sy'n ei ladd ei hun, yn ddewr iawn,
            oherwydd cariad.

BOTTOM:	Bydd gofyn am dipyn o ddagrau wrth berfformio	25
	hwn'na'n dda: os gwna' i'r rhan, rhaid i'r	
	gynulleidfa 'morol am eu llygaid. Mi gynhyrfa'	
	i stormydd, mi alarnada'-i i gryn bwrpas. At y	
	lleill - eto mae gen i fwy o osgo at y	
	teyrn. Mi allwn i chwarae Ercles* yn rhagorol,	30
	neu ran i rantio, i wneud i bawb hollti.	

                     Y cynddeiriog greigiau
                     Â iasol ddirgryniadau
                     A ddistrywia gloeau
                         Pyrth carcharau;   35
                     A bydd y Phibbus-gerbyd*
                     Yn sgleino o bell yn enbyd
                     Gan wneuthur a dymchwelyd
                         Yr ynfyd Ffodiau.*

	Roedd hyn'na'n aruchel! Rŵan enwa weddill y	40
	chwaraewyr. Dyma arddull Ercles, arddull teyrn.	
	Mae carwr yn fwy galarnadus.	

QUINCE: Francis Flute, y trwsiwr meginau.

FLUTE: Yma, Peter Quince.

QUINCE: Rhaid i ti gymryd rhan Thisby.   45

FLUTE: Be ydi Thisby? Marchog crwydrad?

QUINCE: Hon ydi'r arglwyddes y mae'n rhaid i Pyramus
            ei charu.

| FLUTE: | Na, wir, paid â gofyn i mi chwarae gwraig. | |
| | Mae gen i farf yn dod. | 50 |

30   Ercles: camynganu enw Hercules.

36   Camynganu Phoebus, sef duw'r haul a yrrai ei gerbyd hyd yr awyr.

39   Ffodiau: lluosog "Ffawd".

QUINCE:	'Dydi hynny o ddim gwahaniaeth. Mi chwaraei hi mewn mwgwd, ac mi gei di siarad mor fain ag y mynni di.	
BOTTOM:	Os galla' i guddio 'ngwyneb, gad i mi chwarae Thisby hefyd. Mi siarada' i mewn llais bach ofnadwy, "Thisne, Thisne!" - "Ah, Pyramus, fy annwyl gariad! Dy Thisby annwyl, ac annwyl wreigdda!"	55
QUINCE:	Na, na; rhaid i ti chwarae Pyramus; a thithau, Flute, ran Thisby.	60
BOTTOM:	Wel, ymlaen.	
QUINCE:	Robin Starveling, y teiliwr.	
STARVELING:	Yma, Peter Quince.	
QUINCE:	Robin Starveling, rhaid i ti chwarae mam Thisby. Tom Snout, y tincer.	65
SNOUT:	Yma, Peter Quince.	
QUINCE:	Ti, tad Pyramus; finnau, tad Thisby; Snug, y saer dodrefn, rhan y llew. A dyma, gobeithio, ddrama wedi'i threfnu.	
SNUG:	Ydi rhan y llew gen ti, wedi'i sgwennu? Da thi, os ydi hi, rho hi imi, gan 'mod i'n ara'n dysgu.	70
QUINCE:	Mi gei di wneud y cwbwl yn fyrfyfyr, 'chos dim ond rhuo ydi-hi.	
BOTTOM:	Gad i mi chwarae rhan y llew hefyd. Mi rua' i fel y bydd yn lles i galon unrhyw un i 'nghlywed i. Mi rua' i, fel y gwna'-i i'r Dug ddweud, "Gadwch iddo ruo eto, gadwch iddo ruo eto!"	75
QUINCE:	Ac fe wnaet ti hyn yn rhy ofnadwy, fe fyddet ti'n dychryn y Dduges a'r arglwyddesau, nes y bydden' nhw'n sgrechian; a byddai hynny'n ddigon i'n crogi ni i gyd.	80
PAWB:	Ein crogi ni i gyd, pob mab mam.	

BOTTOM:	Rydw i'n cydnabod, ffrindiau, pe baech chi'n	85
	dychryn yr arglwyddesau am eu hoedl, fyddai	
	ganddyn' nhw ddim dewis ond ein crogi ni:	
	ond mi wna' i *waethygu'n* llais fel y bydda'*	
	i'n rhuo mor dyner ag unrhyw *g'lomen-sugno*;*	
	mi rua' i fel 'tawn i'n unrhyw eos.	90

QUINCE: Chei di ddim chwarae unrhyw ran ond Pyramus;
            am fod Pyramus yn ddyn a chanddo wyneb
            addfwyn; yn ŵr propor fel un weli di ar
            ddydd o haf; gŵr hyfryd, gŵr mwyaf bonheddig:
            felly rhaid i ti chwarae Pyramus.   95

BOTTOM: Wel mi wna'-i ymgymryd ag o. Pa farf a weddai
            orau imi chwarae'r rhan?

QUINCE: Wel, be fyw fynni di.

BOTTOM: Mi wna' i'r gwaith un ai gyda barf liw gwellt,
            eich barf oren-tywyll chi, eich barf borffor-   100
            -ei-graen chi, neu eich barf liw coron
            Ffrengig chi, eich barf berffaith felen.

QUINCE: 'Does gan rai o'ch corunau Ffrengig chi ddim
            gwallt o gwbwl, ac felly mi chwaraei di yn
            llyfn dy wyneb.* Ond, feistri, dyma'ch   105
            rhannau; ac rydw i i fod i ymbil arnoch, gofyn
            ichi, a dymuno ichi eu dysgu nhw erbyn nos yfory;
            a chwrdd â mi yng nghoed y plas, rhyw filltir
            y tu allan i'r dref, yng ngolau'r lloer. Mi
            wnawn ni ymarfer yno, achos pe baem ni'n   110
            cyfarfod yn y ddinas, fe fydd gennym ni
            gwmni i'n canlyn ni, ac fe ddon'-nhw i wybod
            ein cynlluniau. Yn y cyfamser mi wna' i restr
            o'r celfi, y math y bydd eu hangen nhw ar gyfer
            ein drama. Da chi, peidiwch â'm siomi fi.   115

BOTTOM: Fe wnawn ni gyfarfod, ac yno mi wnawn ni
            ymarfer yn y modd mwya' *anweddus* a dewr.
            Cym'rwch drafferth; byddwch berffaith:
            adieu.

88 Nodir enghreifftiau o gam-eirio'r cymeriadau mewn llythrennau italig yn eu hareithiau: yma "gwaethygu" am "ysgafnu".

89 C'lomen-sugno (S.*sucking dove*) am *sitting dove*, sef c'lomen-ori.

105 Llyfn dy wyneb: heb farf.

QUINCE:	Mi wnawn ni gyfarfod wrth goeden dderw'r Dug.	120
BOTTOM:	Dyna ddigon: cadw'n gair neu haeddu c'wilydd.	*Exeunt.*

ACT II

GOLYGFA I

Mewn coed wrth ymyl Athens.

Daw un o'r Tylwyth Teg i mewn trwy un drws, a Robin Goodfellow (Puck) trwy ddrws arall.

PUCK: Pa hwyl, ysbryd! I ble'r ei di?

TYLWYTH TEG: Dros fryniau, dros ddolydd,
                   Trwy lwyni, trwy ddrain,
                  Dros berci, dros welydd,
                   Trwy ddyfroedd, trwy dân,   5
                  Rydw i'n crwydro i bob gwlad,
                  Yn gynt na rhod y lleuad;
                  Gwas ein Brenhines ydw i
                  I wlitho'i chylchoedd gleision hi.
                  Ei milwyr hi yw'r briallu mawr: 10
                  Yn eu cotiau brychni aur;
                  Ffafr y Tylwyth Teg yw'r brychni;
                  Ffafr y Tylwyth yw eu rwbi.
                  Rhaid imi chwilio am eirlysiau,
                  A rhoi, yng nghlustiau briallu, berlau.   15
                  Ffarwél iti, lobsyn yr ysbrydion: rwyf am hedfan.
                  Daw'n Brenhines a'i dyneddon yn y man.

PUCK: Mae'r Brenin am gynnal ei rialtwch yma heno.
                  Rhaid cadw y Frenhines rhag dod i'w olwg o -
                  Gwyllt a ffyrnig ydi Oberon,   20
                  Oherwydd ganddi hi, yn un o'i gweision,
                  Mae bachgen teg, a gipiwyd oddi ar frenin
                  Yn India; ni chafodd hi erioed hyfrytach plentyn.
                  Ac Oberon eiddigus a fynna ei gael o
                  Yn yswain, yn ddilynwr i rodio'r coedydd dro.   25
                  Ond hi sy'n gwrthod ildio ei bachgen annwyl hi;
                  Ei g'roni e' â blodau, a'i ddandwn a wna hi.
                  Yn awr ni chyfarfyddant mewn unrhyw faes na choed,
                  Wrth ffynnon glir, sêr-ddisglair ni ddont i gadw oed;
                  Cweryla wnant, nes bod y Tylwyth Teg i gyd   30
                  Yn sleifio i gatiau-mes* i guddio rhag y byd.

31   Catiau-mes: lluosog "cetyn" (S.*pipe*) ydi catiau. Y plisgyn y mae mesen ynddo a olygir.

13

TYLWYTH TEG: Un ai rwyf fi'n camgymryd dy lun di'n hollol glir,
Neu ti yw'r ysbryd clyfar, direidus hwnnw a enwir
Yn Robin dda Goodfellow, 'n wir. Ac onid ti
Sy'n dychryn merched ifainc ein holl bentrefi ni,   35
Gan sgimio llaeth, neu weithiau weithio yn y fuddai,
A gwneud i'r gwragedd gorddi yn ofer oll efallai,
A gwneud i'r cwrw weithiau beidio â magu ewyn,
Camdywys teithwyr yn y nos, a chwerthin wrth eu dychryn?
A'r rhai a d'eilw di'n Puck deg, neu yn Hobgoblyn,   40
Fe wnei eu swyddi drostynt, rhoi iddynt lwc a ffortun.
Ai ti yw e'?

PUCK: Ti'n iawn, yn ddi-os;
Myfi yw crwydryn llon y nos.
Rwyf fi yn llonni Oberon, a chodi gwên
Wrth dwyllo ceffyl tew, ffa-borthwyd, clên   45
A hynny trwy weryru ar lun eboles deg:
Ar dro mi lecha'-i ym mowlen rhyw hen geg,
A hynny ar lun crabas wedi'i rostio;
Pan yfa hi, rwyf ar ei min hi'n pwnio
A thywallt cwrw ar ei thagell grin.   50
A bydd y fodryb ddoethaf, ar dro, pan fydd hi'n
Adrodd stori dristaf, yn meddwl 'mod i'n stôl;
Wrth imi lithro dan ei thin, mae hi yn cwympo'n ôl
Dan weiddi "teiliwr",* a dechrau tagu'n chwyrn;
Ac yna bydd y cwmni yn dal eu hochrau'n dynn   55
Gan chwerthin, cael hwyl fawr a thisian, honni
Na chawsant orig debyg i'w llonni a'u sirioli.
Ond sefa di o'r neilltu, cans dyma Oberon.

TYLWYTH TEG: A'm meistres innau. Ag e' ni fydd hi'n llon.

*Daw Oberon, brenin y Tylwyth Teg, i mewn trwy
un drws gyda'i ddilynwyr; a Titania, y Frenhines
trwy ddrws arall, gyda'i dilynwyr hithau.*

OBERON: Titania falch, cyfarfod chwith dan loergan.   60

TITANIA: Oberon eiddigus! Ymaith Deulu;
Rwy'-i wedi cefnu arno fe a'i wely.

OBERON: Aros di, y serchog bowld; onid fi yw d'arglwydd?

---

54   "Teiliwr": Arferid gweiddi "teiliwr" wrth gwympo'n ôl.

TITANIA:
    Os felly, fi yw'th wreigdda: ond fe wn
    Pan fyddi wedi sleifio o wlad y Tylwyth Teg,   65
    Ac ar lun Corin,* yn eistedd trwy y dydd
    Yn chwarae pibau gwenith, a phrydyddu serch
    I'r serchog Phillida. Pam rwyt ti yma,
    O bellafoedd India wedi dod,
    Ond, yn wir, am fod y dalog Amazon,   70
    Dy ordderch mewn botasau, dy gariad filwriaethus
    I'w phriodi â Theseus, a'th fod di
    Yma i ddymuno'r gorau ar eu gwely?

OBERON:
    Titania, rhag dy g'wilydd, sut gelli di fel hyn
    Gam-sbïo ar fy ngwerth yng ngolwg Hippolyta,   75
    Gan wybod 'mod i'n gwybod am dy serch at Theseus?
    Wnest ti mo'i dywys drwy y befriog nos
    Oddi wrth Perigenia,* y bu iddo'i threisio;
    A gwneud iddo dorri'i air â'r deg Aegles,
    Ag Ariadne ac Antiopa?   80

TITANIA:
    Ffugiadau eiddigeddus ydi'r rhain:
    Ers dechrau canol haf, ni fu i ni
    Gwrdd ar fryn, mewn dyffryn, fforest, dôl,
    Wrth ffynnon raean neu wrth ruthr nant,
    Na chwaith ar oror dywod glan y môr,   85
    I ddawnsio'n gylchoedd i chwibanu'r gwynt,
    Na ddoit ti i ddifetha'n hwyl â'th ffraeo.
    Am hynny y mae'r gwyntoedd, gan ffliwtio'n ofer inni,
    Fel petai i ddial, wedi sugno o'r môr
    Niwloedd heintus sydd, wrth ddisgyn yn y tir,   90
    Wedi chwyddo pob afonig bitw
    Nes iddynt dorri dros eu glannau.
    Oherwydd hyn yr ych sy'n dwyn ei iau yn ofer,
    Yr arddwr sydd yn colli'i chwys, a'r gwenith
    Glas a bydrodd cyn i'w lencyndod fagu barf;   95
    Gwag ydyw'r gorlan mewn caeau wedi'u boddi,
    A'r brain sy'n pesgi ar y preiddiau meirwon;
    Mae llaid yn llenwi tyllau chwarae "morris";*
    A'r llwybrau cymhleth yn y nwyfus wair
    Sy'n anweledig oherwydd diffyg troedio.   100

---

66   Corin: fel Phillida yn 68, enwau cariadon gwladaidd.

78   Perigenia, Aegles, Ariadne, Antiopa; enwau merched y bu i Theseus eu caru a'u gadael.

98   Sgwâr wedi ei dorri mewn gwair ar gyfer gêm lle'r oedd gan bob chwaraewr naw cownter neu "ddyn".

Mae pobol feidrol heb ddim i lonni'u gaeaf:
Nid oes un nos dan fendith cân na charol.
Am hynny y mae'r lloer - sydd yn rheoli'r dyfroedd -
Gan lid yn welw, yn golchi'r awyr oll,
Fel bod clefydon rhéwmatig yn gyffredin.   105
A thrwy yr annhymeredd hwn fe welwn ni'r
Tymhorau'n newid: a barrug briglwyd
Yn cwympo ar arffed ir y rhosyn coch,
Ac ar goron rewllyd, denau Hiems* hen
Mae torch bersawrus o flagur hyfryd haf -   110
I wawdio - 'n cael ei rhoi. Mae'r gwanwyn, haf,
Yr hydref ffrwythlon, gaeaf digllon, yn newid
Eu cynefin wisgoedd; ac ŵyr y byd
Dryslyd ddim, trwy'u cynnydd, prun yw prun.
A daw yr epil hwn o ddrygau   115
O'n cweryl ni, o'n hanghytuno ni;
Ni ydyw eu rhieni, ni eu dechrau.

OBERON: Gwna hyn i gyd yn iawn ynteu; fe elli di.
                     Pam dylet ti Titania groesi'i Hoberon?
                     Y cwbwl geisia' i: un hogyn-bach-cyfnewid   120
                     I fod yn was i mi.

TITANIA: Bydd di yn siŵr o hyn.
                     Ni phryna'r Tylwyth Teg mo hwn gen i.
                     Un o 'nilynwyr oedd ei fam e',
                     Ac yn awyr sbeislyd India, gyda'r nos,
                     Yn aml iawn fe sgwrsiai hi wrth f'ochor   125
                     Ac eistedd gyda mi ar dywod melyn Neifion,*
                     Gan wylio y marsiandwyr* ar y dŵr:
                     A byddem ni yn chwerthin o weld yr hwyliau
                     Yn beichiogi, dod yn folgrwn gyda'r gwyntoedd nwyfus;
                     A byddai hi, â symud prydferth nofio'n   130
                     Eu dilyn nhw - a'i chroth hi'n drwm gan f'yswain bach -
                     A'u dynwared, a hwylio ar y tir,
                     I nôl petheuach imi, a dychwelyd,
                     Fel petai o fordaith, yn drwm gan farsiandïaeth.
                     Ond hi - a'i bod hi'n feidrol - o'r bachgen a fu farw: 135
                     Ac er ei mwyn rwyf fi yn magu'i bachgen,
                     Ac er ei mwyn wna' i mo'i roddi ef i neb.

109 Hiems: y gaeaf.

126 Neifion : Neptune, duw'r môr.

127 marsiandwyr: llongau masnach.

OBERON: Am ba hyd rwyt ti am aros yn y coed?

TITANIA: Efallai tan ar ôl dydd priodas Theseus.
               Os dawnsi'n amyneddgar yn ein cylch,   140
               A gweld ein miri dan y lloer, tyrd gyda ni.
               Os na, osgô fi, osgoaf finnau dy hoff fannau.

OBERON: Rho'r bachgen imi, a dof gyda thi.

TITANIA: Nid er dy deyrnas hud. Ymaith, Dylwyth!
               Mi ffraewn ni go-iawn, os arhosa'-i'n hwy.   145
                                      Exeunt Titania a'i dilynwyr.

OBERON: Wel, dos 'te. Ei di ddim o'r goedlan hon
               Nes i mi dy gosbi am y cam.
               Puck addfwyn, tyrd di yma. Fe gofi di
               Pan oeddwn i yn eistedd, un tro, ar benrhyn,
               Pan glywais i forforwyn, ar gefn dolffin,   150
               Yn yngan sain mor beraidd a llawn cytgord
               Nes troi yr anwar fôr yn dyner gyda'i chân,
               A gwneud i sêr wyllt-saethu'n rhydd o'u cylchau,
               Wrth glywed ei cherddoriaeth.

PUCK: Yr ydw-i'n cofio.

OBERON: Yr adeg honno gwelais i - yr hyn na allet ti -   155
               Yn hedfan rhwng y lleuad oer a'r byd,
               Ciwpid yn llawn-arfog. Anelodd yntau
               At ryw wyryf deg ar orsedd tua'r gorllewin,
               A gollwng ei saeth serch yn fedrus iawn o'i fwa,
               Fel petai hi am dreiddio rhyw ganmil o galonnau.   160
               Ond gallwn weld saeth danllyd y llanc Ciwpid
               Yn oeri'n llewyrchiadau diwair dyfrllyd loer,
               Ac aeth yr imperialaidd ferch dan-lw ymlaen
               Yn ei morwynol fyfyrdodau'n rhydd o serch.
               Ond sylwais i lle syrthiodd hi - saeth Ciwpid.   165
               Fe syrthiodd hi ar flodyn gorllewinol bach,
               A oedd yn llaethwyn, ond erbyn hyn sy'n borffor
               Gan glwyf serch, yr un a elwir "pansi".
               Dos i nôl hwn i mi; y blodyn a ddangosais
               Iti unwaith. O roi ei sudd e' ar amrannau   170
               Gŵr neu wraig sy'n cysgu, gwna iddynt ddotio'n
               Ynfyd ar y creadur cyntaf byw a welir.
               Tyrd â'r llysieuyn imi, a bydd di'n d'ôl eto
               Cyn i'r lefiathan* allu nofio milltir.

---

174   Lefiathan: anghenfil i'w gael yn y môr; morfil.

PUCK: Fe ro' i wregys am y byd i gyd   175
Mewn deugain munud.   *Exit.*

OBERON: Ar ôl cael y sudd,
Fe wylia' i Titania yn ei chwsg,
A rhoi ei wirod yn ei llygaid hi.
Wrth ddeffro, y peth cyntaf welith hi -
Boed hwnnw'n llew, neu arth, neu flaidd, neu darw,   180
Neu fwnci, neu epa sy'n busnesa -
Fe wnaiff hi ei ddilyn gydag enaid serch.
A chyn imi dynnu'r hud o'i llygaid hi -
Fel galla'-i - â llysieuyn arall,
Fe wna' i iddi roi i mi ei hyswain.   185
Ond pwy sy'n dod? Rwy' i yn anweledig,
Fe wna' i glustfeinio ar eu sgwrs.

Daw Demetrius i mewn, a Helena ar ei ôl.

DEMETRIUS: 'Dw-i ddim yn dy garu di, ac felly paid â 'nilyn.
Ple mae Lysander a Hermia deg?
Fe ladda'-i un; mae'r llall yn fy lladd innau.   190
Fe ddwedaist ti eu bod nhw wedi sleifio i'r coed;
A dyma fi, yn ynfyd yn y coed,
Gan na alla'-i gwrdd â'm Hermia.
O'ma, ffwrdd 'ti, a phaid â 'nilyn i.

HELENA: Rwyt ti'n fy nhynnu i, y tynfaen calon-galed;   195
Ond ddim yn tynnu haearn, gan fod fy nghalon i
Mor driw â dur. Rho'r gorau i dy rym
I dynnu, a fydd gen i mo'r grym i'th ddilyn.

DEMETRIUS: Ydw i'n dy ddenu? Ydw i'n dweud yn deg?
Yn hytrach, onid ydw i yn dweud y gwir   200
Yn blaen: nad ydw i, na alla' i dy garu?

HELENA: Am hynny'r ydw i'n dy garu'n fwy.
Dy sbangi ydw i; a, Demetrius,
Mwya'r curo, mwya' yr ymgreinia'-i iti.
Trin di fi fel dy sbangi, dirmyga fi,   205
Fy nharo, f'esgeuluso, colla fi;
Ond gad i mi, 'n annheilwng, dy ganlyn di.
Pa waeth lle alla' i'i fegera yn dy serch -
Ac eto lle o uchel barch gen i -
Na chael fy nhrin fel rwyt ti'n trin dy gi?   210

DEMETRIUS: Paid di â themtio casineb f'ysbryd yn ormodol,
Gan 'mod i'n glaf pan rwyf fi'n edrych arnat.

HELENA: Rwyf innau'n glaf pan nad wy'n edrych arnat.

DEMETRIUS: Rwyt ti'n ceryddu dy wyleidd-dra yn ormodol,
                Trwy ado'r ddinas, a dy roi dy hun   215
                I ddwylo un nad ydi e'n dy garu,
                I fentro cyfle'r nos ac annoethineb gwael
                Lle sydd yn wirioneddol anial
                Â gwerth cyfoethog dy wyryfdod.

HELENA: Dy rinwedd di yw 'ngwarant i. Nid ydyw'n   220
                Nos pan wela' i dy wyneb di,
                Ac felly ni thybia'-i 'mod i yn y nos;
                Ac nid yw'r coed yn brin o fydoedd lu o gwmni,
                Gan mai, i mi, tydi yw'r byd i gyd.
                Sut felly gellir dweud 'mod i yn unig   225
                A'r byd i gyd yn fan'ma i edrych arna'-i?

DEMETRIUS: Mi reda'-i oddi wrthyt a chuddio yn y llwyni,
                A d'adael ar drugaredd anifeiliaid gwyllt.

HELENA: Nid oes gan y gwylltaf galon fel tydi.
                Rhed ple mynnot, daw newid ar y stori: 230
                Fe ffy Apollo, a Daphne fydd yn hela;*
                Y griffin* erlidir gan y glomen; yr elain
                Fwyn gyflyma i ddal y teigr; cyflymder ofer,
                Pan fydd llyfrdra'n erlid, a dewrder fydd yn ffoi.

DEMETRIUS: Ni fynna'-i wrando'th holi. Gad imi fynd!   235
                Neu, os canlyni fi, paid di â chredu
                Na wna'-i ddim niwed iti yn y coed.

HELENA: Ie, yn y deml, yn y dref, y maes,
                Gwnei di niwed imi. Wfft i ti Demetrius!
                Dy ddrwg sy'n rhoddi enllib ar fy rhyw.   240
                Am serch ni allwn ymladd, fel gall dynion;
                Cael ein canlyn ddylem ni, nid gorfod canlyn.
                                                      Exit Demetrius.

                Fe wna' i nef o'r fall, canlynaf di,
                I farw gan y llaw a gerais i.   *Exit.*

OBERON: Ffarwél fy nymff. Cyn iddo fynd o'r coed,   245
                Ti fydd yn dianc, yntau'n ceisio oed.

---

231   Nymff a ffôdd rhag Apollo duw'r haul oedd Daphne.

232   Griffin: anghenfil honedig gyda phen eryr a chorff llew.

Daw Puck i mewn.

Ydi'r blodyn gen-ti? Croeso, grwydryn.

PUCK: Ydi, yma.

OBERON: Da thi, rho fe i mi.
Mi wn am lain lle tyf y teim yn wyrdd,
A llysiau'r parlys, fioledau fyrdd,   250
A glwys yn do i'r fan mae gwyddfid pêr,
Miaren Mair a rhosys dan y sêr.
A rhan o'r nos y cwsg Titania yno
Yn y blodau hyn yn su llawenydd mwyn a dawnsio;
Ac yno bwria'r neidr ei chroen enamel hi -   255
Ei led sy'n ddigon llydan i un o'n Tylwyth ni.
Fe iraf ei hamrannau â'r gwlybwr hudol hwn,
A llenwi'i bryd a wna â ffantasïau trwm.
Cymer beth o hwn, a chwilia di y coed -
Athenwraig sy 'na yma mewn cariad mwya' 'rioed 260
Â llanc dirmygus, wir. Eneinia'i lygaid e';
Ond gwna di hyn pan wêl e'n gyntaf yn y lle
Y wreigdda brudd. Fe weli pwy yw'r gŵr
Gan mai Athenaidd yw ei wisg e'n siŵr.
Gwna gyda gofal hyn fel y bydd e'n   265
Fwy hoff ohoni hi, na hi ohono fe:
A thyrd di ar ganiad ceiliog ata'-i yma.

PUCK: Fy arglwydd, fe wnaiff dy was di'r gwaith, nac ofna. *Exeunt.*

GOLYGFA II

Rhan arall o'r goedwig.

Daw Titania, Brenhines y Tylwyth Teg, i mewn gyda'i dilynwyr.

TITANIA: Dowch, nawr dawns gron a chân y Tylwyth Teg;
Ac yna, am draean munud, ffwrdd â chwi;
Rhai i ladd y lindys ym mlagurau'r mwsg,
Rhai i ymladd 'stlumod am ledr eu hadennydd
I wneud cotiau i 'nyneddon, rhai i gadw'n   5
Ôl y swnllyd gwdihŵ, sy'n hwtian beunos
A synnu at ein hysbrydoedd tlws. Cenwch fi
I gysgu'n awr: ac yna at waith, a gadael imi.

Tylwyth Teg yn canu.

TYLWYTH TEG 1:
> O, nadredd fforchog-dafod, brych,
>> Draenogod dreiniog, sydd yn gêl;   10
> Genau-gwirion sy'n y gwrych,
>> Na ddowch chwi at Titania wych.

CORWS:
> Philomel,* â dy delori
> Cân i ni dy hwian-gerddi;
> Hwia, hwia, hwian-gerdd, hwia, hwia, hwian-gerdd: 15
>> Na ddoed niwed
>> Hud na thynged,
> At ein meistres hyfryd ni:
> Nos da iddi â hwian-gerddi.

TYLWYTH TEG 1:
> Corynnod sydd yn gweu eu gwe,   20
> Pryfed-cannwyll heglwch chwi!
> Chwilod du, hon yw ein plê:
> Na ddowch at dduwies wych y lle.

CORWS:
> Philomel, â dy delori, etc.

TYLWYTH TEG 2:
> Ffwrdd â chwi! pob peth yn dda.   25
> Un yma a'i gwarchoda.
>> *Exeunt Tylwyth Teg. Cysga Titania.*

Daw Oberon i mewn a gwasgu'r blodyn ar amrannau Titania.

OBERON:
> Wrth ddeffro yma cyn bo hir,
> Fe weli di dy gariad pur;
> Fe'i ceri ef ag angerdd gwir.
> Boed e'n lynx, neu gath, neu arth,   30
> Panther, baedd yn fawr ei warth,
> Yn dy olwg 'r hyn ddynesa,
> Wrth it ddeffro, fydd ragora'.
> Pan fo peth ffiaidd yma, deffra.   *Exit.*

Daw Lysander a Hermia i mewn.

LYSANDER:
> Fy nghariad bach, yn wan o grwydro'r coed;   35
> A dweud y gwir, anghofiais ffordd y llwybr troed.
> Gorffwyswn yma, Hermia, os dyna fynni,
> Nes daw y dydd a chysur y goleuni.

---

13   Philomel: enw ar yr eos.

HERMIA: Dyna fynna' i, Lysander. Chwilia am wely;
Ar y gefnen hon yr ydw i am gysgu. 40

LYSANDER: Un d'warchen yn obennydd inni'n dau,
Un galon, gwely, dwy fron, un gred yn ddiau.

HERMIA: Na wir, Lysander; er fy mwyn i, cariad,
Gorwedda'n bellach draw, yn eno'r tad.

LYSANDER: O, deall di, f'anwylyd, fy niniweidrwydd i! 45
Gŵyr cariad beth yw ystyr ein hymddiddanion ni.
Dyma 'nghred, fy nghalon i a'th galon di
A nyddwyd yn un galon rhyngom ni:
Dwy fron gadwynwyd mwy trwy lw;
Ac felly, mewn ffyddlondeb, dwy yn un ŷn' nhw. 50
Yna paid â gwrthod lle cysgu gyda thi;
Wrth orwedd felly, Hermia, nid anwir fydda' i.

HERMIA: Y mae Lysander wrthi'n geirio'n deidi.
Nawr anfri ar fy moesau i a'm balchder,
Os Hermia a feddyliodd mai anwir oedd Lysander! 55
Ond, gyfaill teg, er cariad a chwrteisi
Yn bellach draw, yn wylaidd wir, gorwedda di.
Y mae gwahanu fel'ma, un ac un,
Yn dda i rinwedd gwrda ac i'w fun,
Cadw bellter; fy nghyfaill pur, nos da. 60
Na foed i'th gariad newid nes gado'r ddaear yma!

LYSANDER: Amen, amen i'r weddi, ddweda' i,
Diwedd oes yw diwedd fy ffyddlondeb i!
Dyma 'ngwely. Boed gorffwys cwsg i ti!

HERMIA: Â hanner y dymuniad caëer dy lygaid di. 65

Y maent yn cysgu.

Daw Puck i mewn.

PUCK: Drwy y goedwig y bûm i;
Neb o Athens welais i,
I roi arno er mwyn merch
Rym y blodyn ddeffry serch.
Nos, distawrwydd. - Pwy yw o? 70
Dillad Athens mae'n eu gwisgo:
Yn ôl meistr, hwn yw'r un
Ddirmygodd yr Athenaidd fun;
A dyma'r fun, yn cysgu'n drwm,
Ar y ddaear wlyb a llwm. 75

	Enaid addfwyn! Ni chaiff hi	
	Nesu gan ei anghwrteisi.	
	Gerlyn, ar dy lygaid di	
	Rhof yr hud sy'n eiddo i mi.	
	Pan ddeffri di, atalied serch	80
	Gwsg i ti oherwydd merch.	
	Deffra di, ond nid yn llon!	
	Rhaid im fynd at Oberon.	*Exit.*

Daw Demetrius a Helena i mewn, yn rhedeg.

HELENA: Aros, er i ti fy lladd, Demetrius dda.

DEMETRIUS: I ffwrdd â thi, paid ti â nilyn fel'ma.   85

HELENA: Yn y t'wllwch, wnei di 'ngadael? Paid da thi.

DEMETRIUS: Aros, am dy fywyd! Ar ben fy hun 'raf fi.   *Exit.*

HELENA: O, wedi colli 'ngwynt yn yr helfa hoff!
                Po fwya' 'ngweddi, lleia'm bendith gloff.
                Mae Hermia'n hapus lle bynnag y mae hi -   90
                Mae llygaid dengar, rhadlon ganddi hi.
                Ei llygaid - pam mor loyw? Nid â dagrau.
                Pe felly, mwy mynych golchir fy llygadau.
                Na, na, rwyf fi mor hagr ag yw arth;
                O gwrdd â mi, bwystfilod ddihangant rhag cael gwarth.   95
                Felly nid rhyfedd fod Demetrius yn rhwydd
                Yn mynd, fel bwystfil yntau, o fy ngŵydd.
                Pa ddrych rhagrithiol, drwg o f'eiddof fi
                Wnaeth i mi gymharu â'i llygaid serog hi?
                Ond pwy sydd yma? Lysander! Ar y llawr!   100
                Ynghwsg, neu farw? - Dim gwaed, dim archoll mawr.
                Lysander, wrda, os wyt ti'n fyw, o deffra!

LYSANDER: *Yn deffro.*
                Er dy fwyn di mi awn trwy dân, mi wranta'.
                Helena ddisglair! Celfyddyd natur a ddangosir,
                Fy mod i'n gweld dy galon trwy dy fron yn glir!   105
                Ple mae Demetrius? O gair mor addas imi
                Yw'r enw yna i drengi ar fy nghleddyf i!

HELENA: Lysander, paid dweud hyn'na, ei ddwedyd yn fy nghlyw!
                Beth os yw e'n caru'th Hermia? Beth, os yw?
                Eto ti mae Hermia'n garu. Bydd di'n fodlon.   110

LYSANDER:	Bodlon, fi! Ar Hermia! Mae'n ddrwg calon	
	Gen i imi dreulio amser diflas gyda hon.	
	Nid Hermia, ond Helena i mi:	
	Fel mae colomen ar gigfran ddu'n rhagori!	
	Ei reswm sy'n rheoli 'wyllys dyn	115
	A rheswm ddwed: ti yw'r ragoraf fun!	
	Wrth dyfu daw pethau yn eu pryd i'w hoed:	
	Yn ifanc, tan yn awr, ni ddois i at fy nghoed.	
	Yn awr wrth gyrraedd llawn aeddfedrwydd, hysbys	
	Yw fod rheswm yn rheoli fy ewyllys,	120
	Ac yn fy arwain at d'olygon; yno i'r golwg	
	Storïau llyfr rhagoraf serch ddaw'n amlwg.	

HELENA:	Pam ganwyd fi i'r dirmyg miniog hwn?	
	Pryd, ar dy law, yr haeddais i'r gwawd hwn?	
	Onid yw'n ddigon, lanc, yn ddigon, wir,	125
	Na che's i ddim, na, am amser maith a hir	
	O lygaid fy Nemetrius unrhyw fwyn olygon	
	Heb i ti wneud ati i wawdio fy niffygion?	
	Yn wir i ti, rwyt ti'n gwneud cam â mi	
	Mewn modd trahaus yn ceisio f'ennill i.	130
	Ond ffarwél. Mae'n rhaid i mi gyfaddef	
	'Mod i o'r farn dy fod ti'n well dy rinwedd.	
	O, fod merch wrthodwyd gan un gŵr	
	Yn goddef cam-drin pellach gan un arall yma'n siŵr.	*Exit.*

LYSANDER:	Wêl hi mo Hermia. Hermia, cysga di,	135
	Na foed i ti byth eto ddynesu ataf fi!	
	Oblegid fel mae syrffed ar bethau melys iawn	
	Yn magu llwyr ddiflastod ar y cylla llawn,	
	Neu fel mae heresïau y cefna dynion arnynt	
	Yn gasaf un yng ngolwg y rhai a dwyllwyd ganddynt,	140
	Felly tithau, fy syrffed i a'm heresi,	
	Yn gas gan bawb y byddi, ond casaf gennyf fi!	
	Fy nerthoedd oll, ymrowch eich serch a'ch grym	
	I anrhydeddu Helen fel marchog wedi hyn.	*Exit.*

HERMIA:	*Yn deffro.*	
	Help, Lysander, helpa fi. Gwna d'orau glas	145
	I dynnu o'm bron y sarff hon sy'n llusgo'i ffordd yn gas!	
	Gwae fi, trueni! Y fath freuddwyd enbyd!	
	Lysander, drycha, yr wyf i'n crynu i gyd.	
	Mi dybiais fod rhyw sarff yn ysu 'nghalon i,	
	A thithau yno'n gwenu wrth ei 'sglyfaethu hi.	150
	Lysander! Wedi mynd? Lysander! Dduw!	
	Tu hwnt i glyw? Ddim yma? Dim siw na miw?	

Drueni, ple yr wyt ti? Llefara, os clywi di;
Llefara, er mwyn serch! Gan ofn llewygaf fi.
Na? Rwy'n gweld yn glir nad wyt ti yma.   155
I mi - angau, neu gael hyd i ti yn gynta'.   *Exit.*

ACT III

GOLYGFA I

Y goedwig. Mae Titania'n gorwedd yn cysgu.

Daw'r croesaniaid (clowns) i mewn: Quince, Snug, Bottom, Flute, Snout a Starveling.

BOTTOM: Ydym ni i gyd yma?

QUINCE: Pawb, pawb; ac y mae hwn yn lle *rhyseddol* o addas ar gyfer ein hymarfer. Gall y darn glas yma fod yn llwyfan inni, y llwyn drain yma'n lle gwisgo, ac mi wnawn ni'r actio fel y byddwn ni'n gwneud hynny gerbron y Dug.

BOTTOM: Peter Quince?

QUINCE: Be sy gen ti i'w ddweud, bwli Bottom?

BOTTOM: Mae 'na bethau yn y gomedi Pyramus a Thisby yma na wnaiff byth blesio. Yn gyntaf, rhaid i Pyramus dynnu ei gleddau i'w ladd ei hun; peth na all y gwragedd mo'i oddef. Be s'gen ti i'w ddweud am hyn'na?

SNOUT: Myn Mair, peryg ofnadwy.

STARVELING: Rydw i'n credu y dylem ni adael allan y lladd, a dyna'i diwedd hi.

BOTTOM: Ddim o gwbwl. Mae gen i ddyfais i wneud pob peth yn iawn. Sgrifenna brolog imi, a gwna i'r prolog fel 'tai ddweud, nad ydym ni ddim yn gwneud dim niwed gyda'n cleddyfau, ac nad ydi Pyramus ddim wedi cael ei ladd go-iawn; ac, er mwyn mwy o sicrwydd, dywed wrthyn nhw nad Pyramus ydw i, Pyramus, ond Bottom y gwehydd. Mi wnaiff hyn eu tawelu nhw.

QUINCE: Wel, mi gawn ni brolog fel'na, a sgrifennir mewn wyth-chwech.

BOTTOM: Na, gwna fo'n fwy o sillafau; sgrifenna
               fo'n wyth-wyth.*

SNOUT: 'Fydd gan y merched ddim ofn y llew?

STARVELING: Mae gen i ei ofn o, wir i chi.   30

BOTTOM: Fechgyn, mi ddylech chi ystyried ymhlith
               eich gilydd. Mae dod â llew - Duw a'n cadwo -
               i ganol ledis, yn beth ofnadwy. Achos 'does
               yna ddim ffowlyn mwy dychrynllyd na'ch
               llew yn bod; ac mi ddylem ni 'styried hyn.   35

SNOUT: Felly rhaid i brolog arall ddweud nad llew ydi
               o.

BOTTOM: Na, rhaid iti ddweud ei enw, a dylai hanner ei
               wyneb gael ei weld trwy wddw'r llew, a rhaid
               iddo yntau siarad drwyddo, gan ddweud fel hyn,   40
               neu rywbeth i'r un *beryl* - "Ledis" - neu, "Ledis
               tlws" - neu, "Rydw i am ofyn ichi" - neu,
               "Rydw i'n dymuno ymbil arnoch - i beidio ag
               ofni, i beidio â chrynu: fy mywyd am eich
               bywyd chi. Os tybiwch chi imi ddod yma fel   45
               llew, byddai'n ddrwg iawn gen i. Na, 'dydw
               i'n ddim byd o'r fath, rydw i fel y mae pob
               dyn arall." Ac yma'n wir gad iddo ddweud ei
               enw, a dweud yn blaen wrthyn nhw, mai Snug
               y saer dodrefn ydi o.   50

QUINCE: Wel, mi fydd hi fel'na. Ond y mae yna ddau
               beth caled; hynny ydi, dod â'r lloergan i
               ystafell; achos fe wyddoch chi i Pyramus
               a Thisby gyfarfod yng ngolau'r lloer.

SNOUT: Fydd yna loergan y noson y byddwn ni'n   55
               chwarae'n drama?

BOTTOM: Calendar, calendar! Drychwch yn yr almanac;
               ffeindiwch lloergan, ffeindiwch lloergan.

QUINCE: Ydi, mae yna loer y noson honno.

---

28   Wyth o sillafau a chwech bob yn ail linell, sef mesur baled. Awgrymir wyth-wyth, sef wyth sillaf ym
          mhob llinell. Ni cheisir cadw at hynny yn y fersiwn Gymraeg hon.

BOTTOM: Felly mi ellwch chi adael rhan o ffenest fawr   60
y siambr, lle byddwn ni'n chwarae, yn agored,
ac fe all y lloer sgleinio i mewn drwy'r ffenest.

QUINCE: Ie; neu fe fydd yn rhaid i rywun ddod i mewn
gyda baich drain* a llusern, a dweud ei fod yn
dod i *gamffurfio*, neu i gyflwyno'r bod hwnnw,   65
Lloergan. Yna, y mae yna beth arall: rhaid
inni gael wal yn y siambr fawr; achos fod
Pyramus a Thisby, fel mae'r stori'n dweud, yn
siarad trwy hollt yn y wal.

SNOUT: Fedri di byth ddod â wal i mewn. Be ddwedi di,   70
Bottom?

BOTTOM: Rhaid i ryw ddyn neu'i gilydd gyflwyno Wal: a
gadwch iddo gael plaster, neu galch, neu raean
amdano, i ddynodi Wal; a gadwch iddo fo ddal ei
fysedd fel hyn, a thrwy'r crac hwnnw fe all   75
Pyramus a Thisby sibrwd.

QUINCE: Os gall hyn fod, yna mae popeth yn iawn. Dowch,
steddwch, bob mab mam, ac ymarfer ein rhannau.
Pyramus, dechreua di. Ar ôl i ti ddweud dy
ran, dos i'r llwyn drain yna; ac felly pawb   80
yn ôl ei giw.

           Daw Robin (Puck) i mewn.

PUCK: Pa werin datws sy'n rhodresa yma,
Mor agos at grud Brenhines y Tylwyth Teg?
Beth, ymarfer drama! Fe fydda' i'n wrandäwr;
Ac actor hefyd 'fallai, os bydd achos.   85

QUINCE: Llefara, Pyramus. Thisby, sa' di allan.

PYRAMUS (*Bottom)*: Thisby, mae *onglau* blodau'n sawru'n bêr -

QUINCE: Oglau, oglau.

PYRAMUS: - oglau blodau'n sawru'n bêr:
Fel d'anadl di, f'anwylaf Thisby annwyl.   90
Ond ust, ai llais! Arhosa yma ennyd,
Ac yn y man fe ddof fi at dy ymyl.   *Exit.*

---

64   Baich drain: yn ôl hen goel yr oedd yna ddyn yn y lleuad yn cario baich drain; hyn oedd ei gosb am hel
coed tân ar ddydd Sul.

PUCK: Dyma y Pyramus rhyfeddaf fu erioed!   *Exit.*

FLUTE: Oes rhaid i mi siarad rŵan?

QUINCE: Oes, siŵr iawn, mae'n rhaid. Mae'n rhaid   95
iti ddeall mai dim ond mynd i weld rhyw dwrw
glywodd o y mae o, a'i fod i ddod yn ôl
eto.

THISBE (*Flute*):   O Pyramus deg, mor lili-wyn dy groen,
   O liw fel rhosyn ar fuddugol ddrain,   100
O lencyn sionc, fel Iddew o ran hoen,
   Mor driw â'r triwaf farch, nad yw fel nain,
Fe'th gwrddaf di, Pyramus, wrth feddrod Ninny.*

QUINCE: "Beddrod Ninus", ddyn. Rhaid iti beidio â
dweud hyn'na rŵan. Dy ateb di i Pyramus   105
ydi hyn'na. Rwyt ti'n dweud popeth yr un pryd,
y ciwiau a'r cyfan. Pyramus, i mewn. Rwyt ti
wedi colli dy giw; "fel nain" ydi o.

THISBE::   O!
Mor driw â'r triwaf farch, nad yw fel nain.   110

     Daw Puck, a Bottom - sy â phen asyn - i mewn.

PYRAMUS: Pe bawn i, Thisby, 'n deg, ni fyddwn ond dy eiddo.

QUINCE: Anghenfil! Rhyfeddol! Bwganod. Bobol bach,
o'ma fechgyn. O'ma, fechgyn! Help!
                   Exeunt y croesaniaid i gyd ond Bottom.

PUCK: Dilynaf chwi; arweiniaf chwi mewn cylchoedd anfad,
Trwy gors, trwy lwyn, trwy ddrysgoed, a drain mân,   115
Ac weithiau byddaf fi yn farch, neu yn fytheiad,
Neu faedd, neu arth heb ben, neu weithiau dân;
Gan weryru, a chyfarth, a rhochian, a rhuo a llosgi,
Fel march, bytheiad, baedd, arth, tân lle trowch-chi.   *Exit.*

BOTTOM: Pam maen' nhw'n bachu ymaith? Rhyw dric ydi   120
hyn i godi ofn arna'-i.

     Daw Snout i mewn.

---

104   Ninny: camynganu Ninus; Ninus oedd sefydlydd tybiedig Ninife.

SNOUT: O Bottom, rwyt ti wedi newid? Be wela'-i ar dy ben di?

BOTTOM: Be weli di? Mi weli dy ben asyn di dy hun, on' weli? *Exit Snout.* 125

Daw Quince i mewn.

QUINCE: Bendith arnat-ti Bottom! Bendith arnat! Wedi dy drawsnewid. *Exit.*

BOTTOM: Mi wela' i eu triciau. Mae hyn i wneud asyn ohono'-i; i 'nychryn i, 'taen nhw'n medru. Ond 'chyffra'-i ddim o'r fan, gwnan' nhw be fynnan' nhw. Mi gerdda' i fyny a lawr yn fan'ma, a chanu, iddyn' nhw glywed nad oes arna'-i ofn. *Yn canu..* 130

> Y mwyalch sydd yn ddu ei blu,
>   A'i big yn felyn glân,
> Y fronfraith sy'n chwibianu'n hy, 135
>   Y dryw sy'n bitw'i gân -

TITANIA: *Yn deffro.*
Pa angel sy'n fy neffro o 'ngwely blodau?

BOTTOM:
> Y nico, 'hedydd, 'deryn to,
>   Y gog a'i syml gân,
> A noda llawer gŵr, ho-ho, 140
>   Heb fentro ateb "Na" -
a phwy, yn wir, wnâi drethu'i feddwl i ateb
'deryn mor wirion? Pwy ddwedai ei fod o'n
dderyn celwyddog, er ei fod o'n canu "cwcw"*
faint fynnith o? 145

TITANIA: O ddyn addfwynaf, dyro eto gân:
Fy nghlust a hudwyd gan dy hyfryd dôn;
A'm llygaid sy'n gwirioni ar dy lun;
A grym dy rinwedd teg a'm gyrra i,
Wrth imi weld dy wedd, i'th garu di. 150

BOTTOM: Yn fy marn i, meistres, ddylai fod gennych chi fawr o reswm dros hyn'na. Ac eto, a dweud

---

144 Yr oedd cân y gog i fod i ddweud wrth ddyn ei fod yn gwcwallt, sef un yr oedd ei wraig yn anffyddlon iddo.

y gwir, 'dydi rheswm a chariad ddim yn cadw
fawr o gwmni gyda'i gilydd y dyddiau hyn.
Y trueni mwyaf ydi fod rhai cymdogion gonest   155
yn gwrthod eu gwneud nhw'n ffrindiau. Na, fe
alla' innau gellwair weithiau.

TITANIA: Rwyt ti mor ddoeth ag wyt ti o hardd.

BOTTOM: Nid felly chwaith; ond 'tae gen i ddigon o
grebwyll i fynd o'r goedwig yma, fe fyddai   160
gen i ddigon i wneud y tro i mi fy hun.

TITANIA: Paid â dymuno mynd o'r goedwig hon.
Fe arhosi yma'n fodlon, neu'n anfodlon.
Yr wyf fi'n ysbryd uchel iawn ei radd;
A gweini arnaf fi o hyd mae'r haf;   165
Ac rwy'n dy garu: tyrd felly gyda mi.
Cei Dylwyth Teg i'th wasanaethu di,
A chludant iti emau o'r dyfnderau du,
A chanu, tra cysgi ar wely o flodau wedi'u gwasgu:
Ac fe wna'-i buro dy gnawdolrwydd fel   170
Y gelli fynd fel ysbryd an-sylweddol.
Pys Pêr! Gwëyn! Gwyfyn! Hedyn Mwstard!

Daw pedwar Tylwyth Teg i mewn:
Pys Pêr, Gwëyn, Gwyfyn, Hedyn Mwstard.

PYS PÊR: Parod.

GWËYN: A fi.

GWYFYN: A fi.   175

HEDYN MWSTARD: A fi.

PAWB: I ble'r awn ni?

TITANIA: Byddwch fwyn a chwrtais wrth y gwrda hwn;
Gan hopian yn ei lwybr a chwarae ger ei fron;
A phorthwch e' â bricyll, mwyar duon,   180
Grawnwin porffor, mwyar Mair, a ffigys gleision;
Oddi ar yr hwrli-bwm dygwch eu mêl-godau,
A thocio cwyr eu cluniau i wneud canhwyllau,
A'u g'leuo wrth lygaid y magïod tanllyd,
I'w gael e' i 'ngwely ac i godi - fy anwylyd;   185
A thynnwch esgyll glöynnod wedi'u peintio
I gadw'r lloergan o'i lygaid trwy eu chwifio.
Nodiwch chwi, ddyneddon, arno a bod yn gwrtais wrtho.

31

PYS PÊR: I ti feidrolyn, henffych!

GWËYN: Henffych!   190

GWYFYN: Henffych!

HEDYN MWSTARD: Henffych!

BOTTOM: Eich pardwn, da chi, wyrda. Ga'-i, dy ras, urddas,
erfyn arnat am dy enw?

GWËYN: Gwëyn.   195

BOTTOM: Byddai'n dda gen i dy 'nabod di'n well,
Meistr Gwëyn: os torra' i 'mys,* mi fydda' i'n
hy arnat ti. Dy enw di, wrda gonest?

PYS PÊR: Pys Pêr.

BOTTOM: Os gweli'n dda, cymeradwya fi i Meistres   200
Glasgod, dy fam, ac i Meistr Coden, dy
dad. Meistr Pys Pêr, bydd arna'-i eisio dy
'nabod dithau'n well. Dy enw, syr, os
gweli'n dda?

HEDYN MWSTARD: Hedyn Mwstard.   205

BOTTOM: Meistr Hedyn Mwstard, gwn yn dda am dy
amynedd. Mae'r cig eidion llwfr a chawraidd
hwnnw wedi ysu llawer gŵr o dy dŷ. Rydw i'n
dweud wrthyt ti fod llawer o dy deulu di wedi
dwyn dagrau i'm llygaid i cyn hyn. Byddai'n   210
dda gen i dy 'nabod di'n well, Meistr Hedyn
Mwstard.

TITANIA: Dewch, gweinyddwch arno: a'i arwain e' i 'nghilfach.
Mae'r lloer, mi dybiaf, yn edrych gyda llygad dyfrllyd;
Pan wyla hi, y mae pob blodyn bach,   215
Yn fawr ei alar am burdeb da a dreisiwyd.
Rhwymwch dafod fy anwylyd, a'i ddwyn yn dawel bach.

Exeunt Titania a Bottom a'r Tylwyth Teg.

---

197 Gan mai Gwëyn yw'r Tylwythyn hwn, y mae Bottom yn cyfeirio at y gred y byddai gwe pry cop (corryn), o'i roi ar doriad ar groen, yn gwneud iddo beidio â gwaedu.

GOLYGFA II

Rhan arall o'r goedwig.

Daw Oberon, Brenin y Tylwyth Teg, i mewn.

OBERON: Os gwn i ydi hi, Titania, wedi deffro;
                Ac yna, ar beth y trawodd hi ei llygaid gyntaf,
                Y peth y bydd hi'n dotio arno'n llwyr.

                Daw Puck i mewn.

                Dyma'n negesydd i'n dod. Pa hwyl, yr ysbryd gwallgof!
                Pa hanes-nos a fu'n y fan gythryblus hon?   5

PUCK: Mae meistres i anghenfil wedi colli'i chalon.
                Yn agos at ei chilfach gêl a chysegredig,
                A hithau yn ei throm a'i chysglyd orig,
                Roedd criw o ffyliaid, gweithwyr garw,
                Sydd yn stondinau Athens yn llafurio am fara   10
                Wedi dod ynghyd i 'marfer drama
                Ar gyfer dydd priodas Theseus fawr mi wranta'.
                Y croendew basaf un o'r cwmni ffôl,
                Chwaraeai ran Pyramus yn eu rigmarôl,
                Adawodd ei olygfa a mynd i mewn i lwyn,   15
                Manteisiais innau arno yno a dwyn
                Pen asyn a gosod hwnnw ar ei 'sgwyddau.
                Yn y man rhaid oedd i'w Thisbe hithau
                Gael ateb; daeth yr actor. Wrth weld y gŵr -
                Fel gwyddau gwylltion sy'n canfod yr adarwr,   20
                Neu jac-doeau penllwyd, yn heidiau lluosog hyll,
                Gan godi a chrawcian fel y clywant ddryll,
                Sy'n gwasgaru a sgubo'r nen yn wirion,
                Felly, wrth ei weld, sgrialodd ei gymdeithion;
                Ac, wrth fy stampio,* mae un yn syrthio, syrthio;   25
                Gweiddi mwrdwr, am help o Athens mae'n apelio.
                Fel hyn eu synnwyr gwan, ar goll, eu hofnau'n gry'
                Wnaeth i bethau heb ddim rheswm droi arnyn' nhw yn hy;
                Roedd drain ac roedd mieri'n cipio'u dillad nhw;
                A llewys, hetiau, pob dim o'r eiddo ildwyr* ddalian' nhw.   30

---

25   Stampio: pystylu, sef Puck yn taro ei droed ar y llawr i wneud twrw.

30   Ildwyr: y rhai sy'n ildio neu'n ffoi; mae'r drain a'r mieri'n gafael yn nillad y rhai sy'n dianc.

Arweiniais nhw ymlaen mewn dychryn dryslyd dro,
A gado'r mwyn Byramus, wedi'i drawsnewid, yno:
Ac ar yr ennyd honno, fel y digwyddodd hi,
Deffrôdd Titania, a charu asyn wnaeth-hi!

OBERON: Mae hyn yn well nag y gallwn i'i ddyfeisio. 35
Ond llygaid yr Atheniad, a wnest ti eu heneinio
Â'r sudd-serch, fel y gorchmynnais i?

PUCK: Ac yntau'n cysgu, fe wnaethpwyd hyn gen i:
A'r wraig o Athens wrth ei ochor o,
Hi welai o, o raid, wrth iddo ddeffro. 40

Daw Demetrius a Hermia i mewn.

OBERON: Ymguddia: dyma'r un Atheniad, siŵr.

PUCK: Hon ydi'r wraig, ond nid hwn yw'r gŵr.
Maent yn sefyll o'r neilltu..

DEMETRIUS: O pam rwyt ti'n ceryddu'r sawl a'th garo?
Anadla'n chwerw ar dy elyn chwerw.

HERMIA: Dwrdio wna'-i nawr; ond dylwn i dy gicio: 45
Ti, mae arna'-i ofn, roes achos im felltithio.
Os lleddaist ti Lysander yn ei gwsg,
Rwyt ti mewn gwaed coch dros d'esgidiau,
Ac felly plymia i'r dwfn a lladda, hefyd, finnau.
Nid oedd yr haul mor driw i'r dydd ag ef i mi. 50
A fuasai e' 'di llercian ymaith oddi wrthyf fi,
Hermia, ynghwsg? Fe greda'-i'n gynt y gallai'r
Ddaear gadarn gael ei thyllu, ac y gallai'r
Lloer ymlusgo drwy ei chanol, ac felly siomi
Nawnddydd ei brawd yr haul yn ei phellafoedd hi. 55
Ni all na fu i ti ei ladd:
Fel yna dylai llofrudd fod, mor welw, ddidrugaredd.

DEMETRIUS: Fel yna'r llofruddiedig: felly finnau,
A wanwyd drwy fy nghalon gan dy greulondeb dithau.
Ond yr wyt ti, y llofrudd, i'w weld yn glir a siriol, 60
Fel y mae Fenws acw yn ei chylch golau nefol.

HERMIA: I'm Lysander i, be ydi hyn? Ple mae-e'?
Ah, Demetrius dda, a roi di e' i mi?

DEMETRIUS: Fe fyddai'n well gen i roi'i gorpws e' i 'nghŵn.

HERMIA:	Dos, gi! Allan, genau! Rwyt ti'n fy ngyrru i	65
	Dros ffin amynedd merch. Wyt ti wedi'i ladd e', felly?	
	O hyn ymlaen 'mhlith gwŷr ni ddylet gael dy gyfri!	
	O, y gwir am unwaith! Y gwir, er fy mwyn i!	
	A feiddiet edrych arno ac yntau'n effro?	
	Ei ladd e' tra fo'n cysgu? Yn wir, bravo!	70
	Oni allai pry', neu wiber wneud hyn iddo?	
	A gwiber a wnaeth hyn: un wiber 'rioed ni fu,	
	Y sarff, a frathodd â dyblach tafod na d'un di.	

DEMETRIUS: Rwyt ti ar gam yn treulio d'angerdd ar dy ddicter:
               Wnes i ddim tywallt gwaed Lysander;   75
               Ni fu e' farw, cyn belled ag y gwn.

HERMIA: Da thi, dyweda felly mai holliach ydi hwn.

DEMETRIUS: Os dweda' i, beth gawn i gennyt ti?

HERMIA: Un fraint, byth mwy i beidio â 'ngweld i.
               Ac o dy ŵydd sy'n atgas rwyf fi'n mynd.   80
               Ai byw neu farw yw, i ti 'dwi ddim yn ffrind.   *Exit.*

DEMETRIUS: Waeth imi heb â'i dilyn, a hi mor flin ei bryd.
               Am hyn arhosa-'i yma am ryw hyd.
               Ac felly trymder galar sy'n trymhau,
               A d'lêd y d'ledwr cwsg i alar sy'n dwysáu;   85
               Fe gaiff e' dalu rhywfaint o'i ddyled yma'n awr,
               Os am ei gynnig yma y rho'-i fy mhen i lawr.

                                           Mae'n gorwedd a chysgu.

               Daw Oberon a Puck ymlaen.

OBERON: Be wnest ti? Camgymeriad hollol,
               A rhoi'r sudd serch ar gariad gwirioneddol!
               Ac o dy gamgymeriad, hyn gyflawnir -   90
               Gwyrdroi gwir serch, nid troi serch gau yn wir.

PUCK: A! Ffawd oruwchreola - am un dyn da ei ffydd,
               Mae miliwn heb fod felly, yn torri'u gair yn rhydd.

OBERON: Dos drwy y coed yn gynt na'r gwynt,
               A dod o hyd i Helena ar d'hynt;   95
               Y mae hi'n glaf o serch a gwelw'i gwedd,
               Yn ocheneidio, peth drud i waed coch iredd.
               Trwy gyfrwng rhith tyrd di â hi i'm gŵydd.
               Fe huda' i ei lygaid at ei dyfodiad ebrwydd.

PUCK: Rwy'n mynd, rwy'n mynd, mynd yn ddi-oed,   100
                        Yn gynt nag unrhyw saeth a welaist ti erioed.   *Exit.*

OBERON: *Mae'n gwasgu'r blodyn ar amrannau Demetrius.*
                        Flodyn o'r lliw porffor hwn,
                        Drawyd gan dduw serch yn grwn,
                        Sudda i gannwyll teg ei lygad.
                        A phan welo ef ei gariad,   105
                        Boed i'w llewyrch fod mor gry'
                        Â Fenws yn yr awyr fry.
                        A hi gerllaw, pan ddeffri di
                        Erfyn arni am rwymedi.

                        Daw Puck i mewn.

PUCK: Frenin mwyn ein Tylwyth ni,   110
                        Gwêl Helena, dyma hi.
                        A dyma'r llanc gamgym'rais i,
                        Yn erfyn cyflog cariad ganddi.
                        Wnawn ni wylio'u pasiant gwirion?
                        Duwc, am ffyliaid ydi dynion!   115

OBERON: Sa' draw. Fe wna eu sŵn a'u cyffro
                        I Demetrius yma ddeffro.

PUCK: A bydd dau am garu un;
                        Hwyl hollol ar ei ben ei hun!
                        Yr hyn a'm plesia orau un   120
                        Yw pethau'n digwydd yn ddi-lun.

                                        Maent yn sefyll o'r neilltu.
                        Daw Lysander a Helena i mewn.

LYSANDER: Pam meddwl 'mod i o ran hwyl yn caru?
                        Ddaw hwyl a gwawd ddim byth mewn dagrau:
                        Dyma fi, ar lw, yn wylo; a llwon enir felly -
                        Ar eu genedigaeth ymddengys gwirioneddau.   125
                        Sut gall y pethau hyn fod yn dy dyb di'n sbri,
                        Ac arnynt nod ffyddlondeb, yn brawf o'u gwir i ti?

HELENA: Arddangos dy gyfrwystra'n fwy a mwy wnei di.
                        Pan laddo gwir y gwir, O ddieflig-sanctaidd ffraeo!
                        Y llwon biau Hermia: wnei di ei gadael hi?   130
                        Os pwysi lw â llw, dim fyddi di'n ei bwyso.
                        Dy lw i mi ac iddi hi, o'u rhoddi mewn cloriannau,
                        Fydd yn gyfartal; mor ysgafn ag yw chwedlau.

LYSANDER: Di-farn o'n i pan dyngais iddi hi.

HELENA: Ac o'i rhoi heibio nawr, mor ddifarn eto wyt-ti. 135

LYSANDER: Demetrius yw ei chariad; nid yw'n dy garu di.

DEMETRIUS: *Yn deffro.*
O Helena, fy nuwies, fy nymff, berffeithiaf, ddwyfol i!
Â beth, fy aur, y galla'-i gymharu'th lygaid di?
Mwdlyd ydyw grisial. Dy wefusau di
Sy'n aeddfed gusan-geirios a dyf i 'nhemtio i! 140
Y pur a rhew-wyn eira ar uchder Tawrws* lân
Gan wynt y dwyrain 'sgubir - mae hwnnw'n troi yn frân
Pan godi di dy law: O, boed i mi yn ufudd
Gusanu'r d'wysoges burwen hon, sêl pob llawenydd!

HELENA: O uffern! Gwae! Fe wela'-i eich bod chwi, 145
Er mwyn cael hwyl, i gyd yn f'erbyn i:
Pe baech chwi'n wâr, yn gwybod am gwrteisi,
Ni fyddech chwi fel hyn yn meiddio 'mrifo i.
Oni ellwch fy nghasáu - fel y gwnewch o hyd -
Heb uno eich eneidiau i fy ngwawdio-i hefyd? 150
Pe baech chwi'n ddynion, fel rŷch-chwi o ran golwg,
Ni wnaech chwi drin yr un wraig dda mor ddrwg;
Gan dyngu llw a haeru, gorganmol fy rhinweddau,
A minnau'n siŵr mai cas sydd yno yn eich c'lonnau.
Yr ydych chwi'n cystadlu, gan garu eich Hermia; 155
A'r cystadleuwyr nawr sy'n wawdlyd o Helena:
A dyna gamp ragorol, a menter dda i ddyn,
Yw peri bod 'na ddagrau yn llygaid morwyn druan
Gyda'ch gwawdio! Ni wnâi neb sy'n anrhydeddus
Dramgwyddo merch fel hyn, gan warthus 160
Drethu ei hamynedd - a'r cyfan er mwyn chwarae plagus!

LYSANDER: Yr wyt ti'n gas, Demetrius. Paid bod felly;
Yr wyt ti'n caru Hermia; fe wyddost 'mod i'n gwybod hynny.
Ac yma'n ewyllysgar, a chyda chalon gyfan,
Yng nghariad Hermia rwy'n ildio i ti fy rhan; 165
A dy ran di o Helena, rho honno'n awr i mi,
Gan bydda' i'n ei charu hyd ddydd fy angau i.

HELENA: Ni fu i wawdwyr 'rioed mor ofer-fradu eu hanadlu.

---

141 Uchder Tawrws: mynyddoedd Tawrws, yng ngwlad Twrci.

DEMETRIUS:	Lysander cadwa di dy Hermia. Wna' i ddim byd â hi.	
	Mae 'nghariad wedi diffodd - os byth y cerais hi.	170
	Fy nghalon fel ymwelydd arhosodd gyda hi	
	A nawr at Helen, adref, y dychwelodd hi,	
	I aros yno.	

LYSANDER:	Helena, nid fel'na y mae hi.	

DEMETRIUS:	Paid ti â chablu'r ffydd na wyddost ti,	
	Rhag, mewn peryg, iti orfod talu'n ddrud.	175
	Edrycha, dyma-hi'n dyfod, dyma hi d'anwylyd.	

Daw Hermia i mewn.

HERMIA:	Dywyll nos, sy'n nadu gwaith y llygad,	
	Sy'n rhoi i'r glust fywiocach amgyffrediad;	
	A lle mae hi'n amharu ar synnwyr gweled,	
	Y mae hi'n talu dwbwl iawn i'r clywed.	180
	Lysander, nid â'm llygad y cefais hyd i ti;	
	Fy nghlust - rwy'n diolch iddi - a'm dug at dy sŵn di.	
	Ond pam yn angharedig y buost iti 'ngado?	

LYSANDER:	Pam dylai hwnnw aros, a serch 'n ei symud o?	

HERMIA:	Pa serch a dynnai Lysander o fy ymyl i?	185

LYSANDER:	Serch Lysander - na adawai iddo oedi -	
	At y deg Helena, sy'n euro'r nos i mi	
	Yn fwy na'r cylchau tân a llygaid y goleuni.	
	Pam fy ngeisio i? Oni allai hyn wneud iti	
	Ddeall mai atgasedd wnaeth imi d'adael di?	190

HERMIA:	Rwyt ti'n llefaru'n groes i'th fwriad: all hyn ddim bod.	

HELENA:	Wel wir! Mae hithau'n rhan o'r un cynghreiriad!	
	Yn awr fe wela' i i'r tri hyn ddod ynghyd	
	I'm sbeitio i, trwy lunio chwarae ffug.	
	Hermia sengar! Yr eneth anniolchgar!	195
	Gynllwynaist ti, â'r rhain a drefnaist ti	
	Trwy'r gwawdio ffiaidd hwn i 'mhlagio i?	
	A ydi'r cyngor a ranasom ni,	
	Y llwon chwaer, yr oriau a dreuliasom,	
	Pan fu i ni geryddu amser chwim-ei-droed	200
	Am ein gwahanu - O, anghofiwyd hynny i gyd?	
	Cyfeillgarwch dyddiau ysgol, diniweidrwydd plant?	
	Hermia, gwnaethom ni, fel duwiau celfydd,	
	A'n nodwyddau'n dwy lunio un blodeuyn,	
	Ein dwy ar yr un sampler, gan eistedd ar un glustog,	205

Ein dwy yn pyncio yr un gân, a hynny mewn un cywair;
Fel pe bai'n dwylo, ochrau, lleisiau a meddyliau,
Yn gorfforedig un. Felly, ynghyd y dar'u ni
Dyfu fel ceiriosen ddwbwl, gan edrych
Ar wahân, ond eto'n un yn ein gwahanrwydd;   210
Dwy aeronen deg a foldiwyd ar un gainc;
Felly, â dau gorff tybiedig, ond un galon;
Dau lun, fel peisiau mewn herodraeth,*
Sydd i fod i un, 'goronwyd ag un arwydd.
A wnei di rwygo'n cariad hen yn ddau,   215
I uno â gwŷr i wneud gwawd o'th gyfaill truan?
Nid yw'n gyfeillgar, ac nid yw'n llancesaidd.
Ein rhyw'n ogystal â myfi rydd gerydd
I ti am hyn, ond fi fy hun a deimla'r loes.

HERMIA: Rwy'n synnu'n fawr at d'eiriau mor angerddol.   220
            Nid wy'n dy wawdio. Ti sy'n fy ngwawdio i.

HELENA: Oni yrraist ti Lysander, o ran hwyl,
            I 'nilyn i a moli'n llygaid i a 'ngwedd?
            A pheri i'th gariad arall di, Demetrius
            (A'm trodd i heibio â'i droed, hyd yn oed yn awr), 225
            Fy ngalw i yn dduwies, nymff, a phrin a dwyfol,
            Gwerthfawr, nefol? Pam dwedyd hyn wrth un
            Mae'n ei chasáu? A pham y mae Lysander
            Yn gwadu'i gariad atat, mor goeth o fewn ei enaid,
            A chynnig, ar fy ngwir, ei serch i mi,   230
            Ond trwy d'anogaeth di, a chyda'th ganiatâd?
            Beth os nad wyf fi mewn cymaint ffafr â thi,
            Dan gymaint pwysau serch, mor ffodus,
            Ond yn brudd gan mwyaf, yn caru yn ddigariad?
            Fe ddylet ti dosturio ac nid gwawdio.   235

HERMIA: Wn i ddim beth olygi di wrth hyn.

HELENA: O, gwyddost! Dal ati, cymer arnat olwg brudd,
            Gwneud gweflau arna'- i pan drof fi fy nghefn;
            Wincio ar eich gilydd; cynnal y tric melys.
            Y chwarae hwn, mor dda gynhaliwyd, a groniclir.   240
            Os oes gen ti drueni, gras, neu foesau,
            Wnaet ti mohono' i fel hyn yn darged.
            Ond da bo ti. Rwyf fi i'm beio'n rhannol,
            Gwnaiff angau neu ynteu absenoldeb wella hyn.

213-4   Cyfeirir at arfbais yma. Credir mai sôn a wneir am darian lle mae'r un llun ddwywaith dan un crest.

| LYSANDER: | Aros, Helena fwyn; gwrandawa ar fy esgus: | 245 |
| | Fy nghariad, bywyd, enaid, deg Helena! | |

HELENA: O rhagorol!

HERMIA: [*Wrth Lysander*]
Cariad, paid â'i gwawdio fel'na.

DEMETRIUS: Os na all hi ymbil, fe allaf fi orfodi.

LYSANDER: Ni elli di orfodi mwy nag y gall hi ymbil.
'Dyw dy fygwth ddim cryfach na'i gweddïau gwan. 250
Helena, rwy'n dy garu; ar fy einioes, wir!
Rwy'n tyngu - ar yr hyn a golla'-i er dy fwyn -
I brofi hwnnw'n ffals a ddwed nad wy'n dy garu.

DEMETRIUS: Rwy'n dweud 'mod i'n dy garu'n fwy na fo.

LYSANDER: Os dyna ddwedi, tyrd o'r naill du i'w brofi. 255

DEMETRIUS: Tyrd 'laen!

HERMIA: Lysander, be 'di pwrpas hyn i gyd?

LYSANDER: Dos o 'ma'r Ethiop!*

DEMETRIUS: Na, na; fe gym'rith
Arno dorri'n rhydd; a rhantio'i fod am ddilyn,
Ond peidio â dod: dyn dof wyt ti, ffwrdd ti!

LYSANDER: Gad lonydd, gath, y caci mwnci! Y ffieiddbeth, 260
Gollynga, neu mi sgydwa'-i di i ffwrdd fel sarff!

HERMIA: Pam rwyt ti mor arw! Pa newid ydi hyn,
Fy nghariad annwyl?

LYSANDER: Dy gariad! Dos, Dartar* tywyll, dos!
Dos, ffisig atgas. Y ffiaidd drwyth - i ffwrdd!

HERMIA: Cymryd arnat rwyt-ti?

HELENA: Siŵr iawn; a thithau hefyd. 265

257 Ethiop: un o Ethiopia; un o bryd tywyll.

263 Tartar: un o bryd tywyll.

LYSANDER: Demetrius fe gadwa' i fy ngair i ti.

DEMETRIUS: Fe hoffwn gael d'ymrwymiad, gan 'mod i'n gweld
Mai gwan yw'r rhwymyn sy'n dy ddal. Ni chreda'-i d'air.

LYSANDER: Beth, ddylwn i ei brifo, taro, 'i lladd hi'n farw?
Er 'mod i'n ei chasáu, wna i mo'i brifo fel'na.   270

HERMIA: Beth, pa ddrwg gen ti i mi sy'n waeth na chas?
Casâ fi! Pam? Gwae fi! Pa newydd, cariad!
Onid Hermia ydw i? A thithau yw Lysander?
Rwyf fi mor hardd yn awr ag oeddwn gynnau.
Ddechrau'r nos fy ngharu; eto, ddechrau'r nos, fy ngadael!   275
Felly, fe'm gadewaist i - O, na ato'r duwiau! -
O ddifri, dyna ddweda'-i?

LYSANDER: Ar fy einioes, ie!
A heb ddymuno mwy dy weld di.
Felly bydd di heb obaith, a heb gwestiwn, heb amheuaeth;
Bydd sicir, 'does un dim mor wir. Nid chwarae   280
Ydi 'nghas i atat ti, a 'nghariad at Helena.

HERMIA: [Wrth Helena]
Gwae fi! Y siwglwr! Y rhosyn-cancr!
Ti, leidr serch! Beth, ddoist ti yn y nos
A dwyn ei galon oddi ar fy nghariad?

HELENA: Teg, yn wir!
Oes gen ti ddim c'wilydd, dim gwyleidd-dra merch,   285
Dim rhithyn bach o swildod? A wnei di rwygo
Atebion diamynedd o fy nhafod dyner?
Wfft, wfft! Yr hoeden ffug, y pyped bach!

HERMIA: Pyped? Pam hynny? O, fel'na mae hi ie?
Fe wela' i ei bod hi yn cymharu   290
Ein taldra ni; defnyddiodd hi ei thaldra,
A chyda'i phersonoliaeth, ei phersonoliaeth dal,
Ei thaldra'n wir, mae wedi ei orchfygu.
A dyfaist ti mor dal yn ei olwg e',
Am 'mod i'n gorachaidd ac yn isel?   295
Pa mor isel ydw i, y gangen ha'? Dyweda!
Pa mor isel ydw i? Ond 'dydw-i ddim mor isel
Fel na all f'ewinedd gyrraedd i dy lygaid.

HELENA: Da chwi, wyrda, er eich gwawdio,
Na adwch iddi 'mrifo. Ni fûm i yn gwerylgar;   300

A 'does gen i ddim dawn blagardio;
Rydw-i'n forwyn bropor am fy llyfrdra.
Peidiwch gadael iddi 'nharo. Fe ellwch feddwl
Gan ei bod hi beth yn is na fi,
'Mod i mor 'debol ag yw hi.

HERMIA: Yn is! Wel clywch hi, eto!   305

HELENA: Hermia annwyl, paid bod mor chwerw wrthyf.
Ro'wn i'n dy garu di bob amser, Hermia,
Yn cadw'th gyfrinachau, byth yn gwneud drwg i ti;
Ond fy mod i, o gariad at Demetrius,
Wedi dwedyd wrtho am dy sleifio i'r coed yma.   310
Dilynodd di; dilynais innau yntau - o serch.
Ond dwrdiodd fi byth wedyn, a 'mygwth i
I 'nharo i, fy niystyru, ie, a'm lladd.
A nawr, os gadwch imi fynd yn dawel,
Fe a' i â'm ffolineb yn ôl i Athens,   315
Heb eich dilyn rhagor. Gadwch imi fynd.
Fe welwch chwi mor simpil ac mor ffôl wyf fi.

HERMIA: Wel ffwrdd â thi. Be sy'n dy gadw di?

HELENA: Calon wirion, yr wy'n ei gadael yma.

HERMIA: Gydag e', Lysander?

HELENA: Gydag e' Demetrius.   320

LYSANDER: Paid ag ofni. Chaiff hi mo'th frifo di, Helena.

DEMETRIUS: Na, syr, chaiff hi ddim, er iti gadw'i phart.

HELENA: O, wedi gwylltio, mae hi'n finiog ac yn gegog!
Roedd hi'n hen gnawes pan oedd hi'n yr ysgol:
Ac er mai bach 'di hi, y mae hi'n ffyrnig.   325

HERMIA: "Bach" eto! Dim byd ond "bach" ac "isel"!
Pam gadael iddi 'ngwawdio fel'ma?
Gadwch imi ati.

LYSANDER: Dos o'ma'r corrach;
Y minimus,* a wnaed o chwyn ataliol;
Y mwclis, mesen!

---

329   Minimus: peth bychan iawn, y lleiaf. Credid bod math o chwyn yn atal tyfiant.

| DEMETRIUS: | Rwyt ti'n rhy selog | 330 |

Ar ei rhan hi sydd yn dirmygu dy was'naethau.
Gad iddi. Paid di â siarad am Helena;
Paid di ag ochri gyda-'i; os rhoi di'r arwydd
Lleia' 'rioed o gariad ati hi,
Fe gei di dalu am hynny.

| LYSANDER: | Nawr nid yw'n gafael ynof. | 335 |

Nawr dilyn di, os mentri, i brofi p'run
Ai dy hawl di neu fi sydd fwya' ar Helena.

DEMETRIUS: Dilyn! Na, fe a' i gyda thi, rudd wrth rudd.

Exeunt Lysander a Demetrius.

HERMIA: Ti, meistres, dy fai di ydi'r helynt hwn:
Na, dos yn d'ôl.

| HELENA: | Wna'-i ddim ymddiried ynot ti, | 340 |

Nac aros mwyach yn dy felltigedig gwmni.
Dy ddwylo di sy'n b'rotach at ffrwgwd na'n rhai i,
Ond at redeg bant, hwy yw fy nghoesau i.

HERMIA: Yr ydw i mewn dryswch, heb wybod beth i'w ddweud.

Exeunt Helena a Hermia.

Daw Oberon a Puck ymlaen.

| OBERON: | Dy flerwch di 'di hyn. Rwyt ti'n camgymryd | 345 |

Neu'n gwneud dy ddrygau yn fwriadol.

PUCK: Camgymryd wnes i, frenin y cysgodion.
Oni ddwedaist ti 'nabyddwn i y gŵr
Wrth y dillad Athenaidd wisgai e'?
A difai, hyd yn hyn, yw f'antur i -   350
Iro ll'gadau dyn o Athens a wnes i;
A hyd yma mae'n dda mai fel hyn mae-hi,
Gan fod eu janglo'n ddifyr iawn i mi.

OBERON: Fe weli di'r cariadon yn 'mofyn man cyfagos
I ymladd. Dos felly, Robin, tywylla di y nos.   355
Yr awyr serog, gorchuddia di hi weithion
Â niwloedd llaes, mor ddu ag Acheron;*

---

357   Acheron: afon y Byd Arall.

43

Arweinia'r cystadleuwyr digllon ar wahân,
Fel bo y naill ar goll i'r llall yn lân.
Yn debyg i Lysander yn awr gwna di dy lais,   360
A styria di Demetrius yn llwyr â chwerw drais;
Ac weithiau fel Demetrius dwrdia'n syn.
Ac oddi wrth ei gilydd tywysa hwy fel hyn,
Nes i gwsg sy'n ffug-farwolaeth yno
Dros eu haeliau â thraed o blwm a 'denydd 'stlumod sleifio.   365
I lygad Lysander gwasga'r blodyn hwn,
Y mae i'w wlybwr y rhinwedd grymus hwn
I dynnu, â'i nerth, bob gwall oddi yno
A gwneud â gweld arferol i fyw ei lygaid rowlio.
Pan ddeffrôn' nhw wedyn, bydd y ffwlbri ffôl   370
Fel breuddwyd neu weledigaeth wir anfuddiol,
Yn ôl i Athens ymlwybra y cariadon
Mewn cytgord na fydd i'w dymor unrhyw derfyn.
Tra byddi di'n gweithredu hyn i mi,
Af fi at fy mrenhines i erchi'i Hindiad hi;   375
Ac fe wna' i ei llygaid hud ryddhau
O weled anghenfilod; a boed i hedd barhau.

PUCK: Arglwydd y Tylwyth, rhaid gwneuthur hyn ar frys,
Cans torrir y cymylau gan ddreigiau chwim y nos,
Ac acw fe ddisgleiria ei chennad hi, Aurora;*   380
O'i ddyfod, drychiolaethau, ar grwydr acw ac yma,
Sy'n heidio i'w mynwentydd: mae'r damniedig sydd
Wedi'u claddu mewn croesffyrdd neu lifogydd
I'w gwlâu pryfedog wedi mynd yn barod.
Rhag ofn i'r dydd edrych ar eu pechod   385
Alltudiant hwy eu hunain o'r goleuni,
I fod am byth i'r dduael nos yn gwmni.

OBERON: Ond 'sbrydion o fath arall ydym ni.
Â chariad y Bore'n fynych y chwaraeais i;
Ac, megis coediwr, fe gaf fi rodio'r llwyni,   390
Hyd nes bydd porth y dwyrain, yn danllyd gochni,
Gan agor ar Neifion* â'i fendigaid dywyniadau,
Yn troi yn felyn aur ei wyrdd-hallt ffrydiau.
Ond, rhag ein gwaethaf, brys; dim oedi fydd.
Fe ddown â'r gwaith i ben cyn diwedd dydd.   395
                                                Exit.

---

380   Aurora: y wawr.

392   Neifion: Neptune, sef duw'r môr.

PUCK:
I lawr a fry, i lawr a fry,
Fe a'-i â nhw i lawr a fry,
Mewn maes a thref fe'm hofnir i:
Goblyn, tywys nhw i lawr a fry.
Dyma un yn dod.   400

Daw Lysander i mewn.

LYSANDER:
Demetrius falch, ple'r wyt-ti? Yn awr llefara di.

PUCK:
Yma'r cenau; gyda 'nghleddau. Ple'r wyt ti?

LYSANDER:
Gyda thi yn union deg.

PUCK:
                    Dilyn fi, 'te,
I le mwy gwastad.   *Exit Lysander.*

Daw Demetrius i mewn.

DEMETRIUS:
                    Lysander! Siarada eto!
Wedi ffoi, y rhedwr-bant, y llwfrgi?   405
Llefara! Mewn rhyw lwyn? Â'th ben i lawr, ple'r wyt ti?

PUCK:
Wyt ti'n ymffrostio i'r sêr, y llwfrgi,
Yn sôn am chwilio am gadau wrth y llwyni,
Wnei di ddim dod? Tyrd, y cachgi! Tyrd, y babi!
Mi chwipia'-i di efo ffon. Mae hwnnw wedi'i   410
Ddwyno'n wir sy'n tynnu cleddau'n d'erbyn di.

DEMETRIUS:
                                     Wyt ti yna?

PUCK:
Dilyna'm llais. Phrofwn ni mo'n dewrder yma.   *Exeunt.*

Daw Lysander i mewn.

LYSANDER:
Mae'n mynd o 'mlaen, a dal i'm herio i:
Pan ddof i'r lle mae'n galw, mae'n diflannu.
Mae'r cerlyn yn fwy ysgafn-droed na fi.   415
Dilynais i yn gyflym, ffôi yntau'n gynt na fi,
Fel 'mod i wedi cwympo i ffordd anwastad ddu,
Lle gwna' i orffwyso.   *Mae'n gorwedd.*
                    O, dyner ddydd, tyrd di!
Unwaith y gwnei di ddangos d'olau llwyd i mi,
Mi ffeindia' i Demetrius, a dial y camwri.   420
                                    Mae'n cysgu.

Daw Robin (Puck) a Demetrius i mewn.

45

PUCK: Ho, ho, ho! Y llwfrgi, pam na ddoist-ti?

DEMETRIUS: Arhosa di amdana'-i, os meiddi, da y gwn-i
Dy fod ti'n mynd o 'mlaen i, gan symud lle,
Heb feiddio sefyll, nac edrych i f'wyneb i, yntê,
Ple rwyt ti'n awr?

PUCK: Tyrd 'laen. 'Dw-i yma. 425

DEMETRIUS: Na, rwyt ti'n fy ngwawdio. Cei dalu'n ddrud am hyn'na,
Os byth y gwela' i dy wep yng ngolau dydd.
Nawr, dos yn d'laen. Oherwydd gwendid bydd
Yn rhaid im orwedd yma ar oer wely,

Mae'n gorwedd.

Ar ddod y dydd, disgwylia di ymweliad gen-i. 430

Mae'n cysgu.

Daw Helena i mewn.

HELENA: O nos flinderog, O nos hir a phrudd,
  Byrha dy oriau! O'r dwyrain doed cysuron i dywynnu,
Fel y galla'-i fod yn Athens erbyn dydd,
  Oddi wrth y rhain ysy'n casáu fy nghwmni:
A chwsg, sydd weithiau'n cau llygadau gofid, 435
Rho imi rhag fy nghwmni i fy hun dy ryddid.

Mae'n gorwedd i lawr a chysgu.

PUCK: Dim ond tri? Doed un yn rhagor.
Mae dau o ddau fath yn bedwar.
Mae hi yn dod, yn groes a blin:
Mae Ciwpid yn ystumddrwg lencyn, 440
I wneud yn ynfyd ferched truan.

Daw Hermia i mewn.

HERMIA: Erioed mor flin, erioed mewn cymaint gwae;
  Yn ddafnau gwlith i gyd, yn ddrain-doriadau,
Ni alla'-i lusgo 'mhellach, ddim mynd 'mlaen,
  Ni all fy nghoesau i gyd-fynd â 'neisyfiadau. 445
Fe orffwysa'-i yma nes daw toriad dydd.
Duw gadwo di Lysander, os ymlafnio 'fydd!

Mae'n gorwedd i lawr a chysgu.

PUCK: Ar y llawr
Cysga'n awr:
Fe ro' i 450
Rwymedi,
Garwr, ar dy lygad di.

Mae'n gwasgu sudd ar amrannau Lysander.
Pan ddeffri di,
Cymeri
Bleser gwir   455
Hynod, hir
Wrth iti weld dy gariad gynt:
A bydd y ddihareb hen,
Y bydd i bawb ei eiddo'i hun,
Yn amlwg inni bod ac un.   460
Fe gaiff Jac Jil,*
Ni fydd un picil;
Y gŵr a gaiff ei gaseg eto, bydd pob peth yn dda.*

Exit.

461   Dihareb: "All is well, Jack shall have Jill" (sef Gillian).

463   Dihareb arall, mae'n debyg: "All is well and the man has his mare again".

ACT IV

GOLYGFA I

Y goedwig. Mae Lysander, Demetrius, Helena, Hermia yn gorwedd yn cysgu.

Daw Titania, Brenhines y Tylwyth Teg, a Bottom y clown, a Phys Pêr, Gwëyn, Gwyfyn, Hedyn Mwstard a Thylwyth Teg eraill i mewn; ac Oberon, y Brenin, y tu ôl iddynt [yn anweledig].

TITANIA: Tyrd, eistedd ar y gwely blodau yma,
Tra mwytha' i dy ruddiau tlysion,
A rhoddi mwsg ar dy ben esmwyth, llyfn a,
Dyner un, cusanu'th glustiau hardd a mawrion.

BOTTOM: Ple mae Pys Pêr? 5

PYS PÊR: Barod.

BOTTOM: Crafa 'mhen i, Pys Pêr. Ble mae Mounsieur Gwëyn?

GWËYN: Barod.

BOTTOM: Mounsieur Gwëyn, y mounsieur da, gafael yn dy
arfau, a lladda imi gachgi bwm coch-ei-gluniau 10
oddi ar ben ysgallen; a, y mounsieur da, tyrd
â'r cwdyn mêl i mi. A phaid â phoeni gormod
wrth weithredu, mounsieur; a, y mounsieur da,
gofala na wnaiff y cwdyn dorri; 'sa'n gas gen
i petai gen ti gwdyn mêl am dy ben, signior. 15
Ple mae Mounsieur Hedyn Mwstard?

HEDYN MWSTARD: Barod.

BOTTOM: Rho dy law i mi, Mounsieur Hedyn Mwstard. Da thi,
gad dy foesymgrymu, y mounsieur da.

HEDYN MWSTARD: Be' fynni di? 20

BOTTOM: Dim, y mounsieur da, ond iti helpu'r Cafaliero
Gwëyn i grafu. Rhaid i mi fynd at y barbwr,
mounsieur, gan fy mod i'n meddwl 'mod i'n flewog

i'w ryfeddu o gwmpas yr wyneb; ac rydw i'r fath
asyn tyner, os ydi 'mlew i'n fy nghosi i,   25
mae'n rhaid i minnau grafu.

TITANIA: Wnei di, fy nghariad annwyl, wrando ar gerddoriaeth?

BOTTOM: Mae gen i glust resymol dda at fiwsig. Gad inni
                gael yr esgyrn a'r gefeiliau.*

TITANIA: Neu dwed, fy nghariad bach, beth fynni di i'w fwyta?   30

BOTTOM: Yn wir, pecyn o borthiant; fe allwn i gnoi
                ceirch da a sych. Rydw i'n meddwl fod arna'-i
                awydd mawr am fwndel o wair: does 'na ddim byd
                tebyg i wair da, gwair melys.

TITANIA: Mae gen i Dylwythyn dewr wnaiff chwilio   35
                Celc y wiwer, a 'nôl cnau newydd iti.

BOTTOM: Byddai'n well gen i ddyrnaid neu ddau
                o bys. Ond da thi, paid â gadael i neb
                darfu arna'-i. Mae *tueddfryd o gwsg*
                yn dod drosta'-i.   40

TITANIA: Cysga di, fe lapia' i di yn fy mreichiau.
                Dylwyth, ewch, gan fynd i bob cyfeiriad.

                                        Exeunt Tylwyth Teg.

                Fel hyn mae'r gwyddfid, y gwyddfid pêr yn tyner
                Glymu; fel hyn mae'r eiddew banw yn
                Amgylchu bysedd rhisglog y llwyfenni.   45
                O, fel rwyf fi'n dy garu di! Yn dotio arnat!

                                        Maent yn cysgu.

                Daw Robin Goodfellow (Puck) i mewn.

OBERON: *Yn dynesu.*
                Croeso, Robin. Wel' di'r olygfa hyfryd hon?
                Rwy'n dechrau trugarhau wrth ei gwirioni:
                Oherwydd, wrth ei chyfarfod hi'n ddiweddar
                Tu ôl i'r coed, yn ceisio ffafrau tyner   50
                I'r ffŵl atgas hwn, ceryddais hi a chwympo ma's:
                Oherwydd iddi hi amgylchu ei arleisiau
                Blewog e' â choron flodau ir bersawrus;
                A'r un gwlith hwnnw, a arferai gynt

---

29   Esgyrn a gefeiliau: miwsig gwladaidd. Trewid gefail gyda metel, a byddid yn clecian esgyrn a ddelid
         rhwng y bysedd.

49

Chwyddo ar y blagur, fel perlau crwn, dwyreiniol, 55
A safai'n awr o fewn llygadau'r blodau teg,
Fel dagrau, yn alarus am eu gwarth eu hunain.
'R ôl imi, wrth f'ewyllys, dynnu arni,
Ac iddi hithau'n dyner erfyn fy amynedd,
Gofynnais iddi am y bachgen bach a gipiwyd; 60
Fe'i rhoddodd imi'n syth, gan anfon ei Thylwythyn
I'w ddwyn e' i fy neildy yng ngwlad y Tylwyth Teg.
Yn awr, â'r bachgen gen-i, fe ddad-wna'-i
Amherffeithrwydd anfad ei golygon:
A, Puck addfwyn, tynn y pengroen newydd hwn 65
Oddi-ar ben y gwerinwr hwn o Athens,
Fel, ac yntau'n deffro gyda'r lleill,
Y gallant fynd i gyd yn ôl i Athens,
Heb feddwl mwy am ddigwyddiadau'r noson hon
Ond fel blinder ffyrnig breuddwyd. 70
Ond yn gyntaf, fe ryddha' i y Frenhines.
Mae'n gwasgu'r blodyn ar amrannau Titania.
    Bydd fel yr oeddet ti gynt;
    Gwêl fel y gwelet ti gynt.
    Mae gan ei blagur hi, Diana,
    Rym dros Ciwpid a'i holl floda'. 75
Nawr, Titania, deffra, fy Mrenhines fwyn i.

TITANIA: Fy Oberon, am weledigaethau welais i!
Fy dybiwn 'mod i'n caru asyn.

OBERON: Dyna-i ti dy gariad.

TITANIA: Sut y digwyddodd hyn?
O, fel mae'n llygaid i'n casáu ei wedd yn awr! 80

OBERON: Distaw dro. Robin tynna'r pen 'ma.
Titania, galwa gerdd; a thrawa yma'n
Fwy marw nag arferol gwsg, synnwyr y pump hyn.

TITANIA: Cerdd, ho, cerdd! Cerdd sydd yn hudo hun!
                          Cerddoriaeth dyner.

PUCK: *Gan dynnu ymaith ben asyn Bottom.*
Pan ddeffri, fe weli di â'th lygaid-ffŵl dy hun. 85

OBERON: Seinied cerdd!   *Cerddoriaeth dawns yn dechrau.*
    Tyrd, fy llaw i ti, Frenhines fwyn,
A sigla'r llawr lle mae y cysgwyr hyn.
                    Mae Oberon a Titania'n dawnsio.

Nawr mewn cyfeillach newydd yr ŷm ni,
A hanner nos yfory â rhwysg a bri
Yn nhŷ y Dug Theseus dawnsiwn ni,   90
Gan roi ein bendith yno i bawb yn ffri.
Ac yno bydd i'n parau ffyddlon ni
Ynghyd â Theseus yn llawen iawn briodi.

PUCK: O Frenin, gwranda, noda di:
                        Hedydd y bore glywaf fi.   95

OBERON: Yna, Frenhines, yn ddifrif awn
                        'R ôl cysgod nos, yn dawel iawn.
                        Yn gynt na'r lloer a'i chrwydr hi
                        Cwmpasu'r byd a allwn ni.

TITANIA: Tyrd, f'arglwydd; ar ein hediad ni   100
                        Dwed, y nos hon, sut y bu,
                        Iti ddod o hyd i mi
                        Yn cysgu gyda meidrol lu.

                                    Exeunt Oberon, Titania a Puck.

                Sain cyrn oddi mewn. Daw Theseus, Hippolyta,
                Egeus a dilynwyr i mewn.

THESEUS: Aed un ohonoch i chwilio am y coediwr,
             Oherwydd mae ein dathliad i'w berfformio;   105
             A chan i ni gael blaen ar amser dyddio,
             Fe gaiff fy nghariad glywed miwsig fy mytheiaid.
             Yn y cwm yn y gorllewin dadfachwch nhw a'u gollwng.
             Yn sydyn, meddaf, a dowch o hyd i'r coediwr.
                                            Exit un o'r gweision.
             Frenhines deg, fe awn ni i ben y mynydd,   110
             A sylwi ar gerdd gymysglyd
             Bytheiaid ac adleisiau ynghyd.

HIPPOLYTA: Un tro roeddwn gyda Hercules a Cadmus,
             Pan - mewn coed yng Nghreta - y cornelwyd arth
             Â chŵn o Sparta. Chlywais i erioed   115
             Y fath gyflafan lew; oherwydd, ar wahân
             I'r llwyni, roedd yr awyr, y ffynhonnau,
             Pob ardal oedd gerllaw rhwng y naill a'r llall
             I gyd fel pe'n un gri. Chlywais i erioed
             Y fath anghytgord swynol, y fath daranu pêr.   120

THESEUS: Mae 'nghŵn i wedi'u magu o rywogaeth Sparta,
             Yn weflog, o liw tywod; ac o'u pennau croga
             Clustiau sy'n sgubo ymaith wlith y bore;

Yn grwca'u coesau, tagellog fel teirw o Thessalia;
Yn ara'n erlid, eu synau nhw fel clychau   125
Un dan y llall. Ni chyfarchwyd cri
Fwy swynol, na'i chyfarch â sain cyrn,
Yng Nghreta, Sparta, nac yn Thessaly.
Wrth glywed, bernwch. Ond, ust! Pa nymffau ydi'r rhain?

EGEUS: F'arglwydd, mae hi sy'n cysgu yma'n ferch i mi;   130
Hwn yw Lysander; a Demetrius yw hwn;
Hon, Helena, Helena yr hen Nedar:
Mae'n syn gen i eu bod nhw yma 'nghyd.

THESEUS: Yn ddiau fe god'son nhw yn fore i gadw
Defod Mai*; ac, o glywed am ein bwriad,   135
Fe ddaethon' yma i anrhydeddu'n gŵyl.
Ond dywed di, Egeus. Onid hwn yw'r dydd
I Hermia roi ateb iti 'nghylch ei dewis?

EGEUS: Ie, f'arglwydd.

THESEUS: Ewch, perwch i'r helwyr eu deffro nhw â'u cyrn.   140
Gwaedd oddi mewn; sain cyrn.
Mae'r cariadon yn deffro'n ffrwcslyd.
Dydd da, gyfeillion. Fe aeth Gŵyl Ffolant heibio:*
Ydi'r adar coed 'ma ond yn dechrau cyplu'n awr?

LYSANDER: Pardwn, f'arglwydd.   *Y cariadon yn mynd ar eu gliniau.*

THESEUS: Sefwch, da chwi, i gyd.
Fe wn eich bod chwi'ch dau'n elynion sy'n cystadlu.
Sut daeth y cytgord tyner hwn i'r byd,   145
Fod cas mor bell oddi wrth ddrwgdybiaeth,
Nes cysgu wrth gasineb, heb ofni dim gelyniaeth?

LYSANDER: F'arglwydd, fe atebaf fi'n gymysglyd,
Yn hanner effro, hanner cysgu: ond hyd yma,
Tyngaf na alla'-i'n wir ddweud sut dois i yma   150
Ond, wrth feddwl - oblegid fe fynnwn ddweud y gwir,
A nawr yr ydw i'n meddwl, felly y mae -
Fe ddois i yma gyda Hermia. Ein bwriad
Ni oedd gadael Athens, i le y gallem,
Tu hwnt i beryg cyfraith Athens -   155

135   Dathliadau Calan Mai.

141   Y gred oedd fod adar yn dechrau paru a chyplu ar Ŵyl Ffolant, sef 14 Chwefror.

52

EGEUS: Digon, digon, f'arglwydd: clywaist ddigon!
Erfyniaf fi y gyfraith, y gyfraith, ar ei ben.
Byddent wedi sleifio i ffwrdd; Demetrius, byddent,
Trwy hynny, wedi 'nhwyllo i a thi,
Ti o dy wraig a minnau o fy nghaniatâd,   160
Fy nghaniatâd y byddai'n wraig i ti.

DEMETRIUS: F'arglwydd, fe ddwedodd Helen wrthyf am eu ffoi,
Am eu bwriad wrth ddod yma i'r coed hwn,
Dilynais i nhw yma'n fy nghynddaredd,
Gyda'r deg Helena, yn dotio, ar fy ôl.   165
Ond, f'arglwydd da, ni wn i trwy ba rym -
Ond trwy ryw rym y mae - fy nghariad i at Hermia
Ddadmerodd fel yr eira; mae'n ymddangos
I mi'n awr fel atgof am goeg degan,
Y byddwn i yn dotio arno pan yn blentyn;   170
Ac mae fy ffydd, mae grym fy nghalon,
Gwrthrych a phleser fy ngolygon i
Yn unig ar Helena. F'arglwydd, iddi hi
Yr oeddwn i'n ddyweddi cyn gweld Hermia:
Ond, fel dyn gwael, dirmygais i'r bwyd hwn;   175
Ond, fel dyn iach, 'nôl yn fy chwaeth naturiol,
Nawr rwy'n ei ddymuno, ei garu, amdano
Yn hiraethu, a byddaf iddo'n driw am byth.

THESEUS: Gariadon teg, bu'ch dod ynghyd yn ffodus.
Am y sgwrs hon fe glywn ni fwy'n y man.   180
Egeus, yr wyf am oruwch-farnu dy ewyllys,
Ac yn y deml, gyda hyn, fe wëir
Y cyplau hyn ynghyd dragywydd, gyda ni;
A, chan fod y bore wedi treulio beth yn awr,
Fe fwriwn ni yr hela a fwriadwyd heibio.   185
I ffwrdd â ni i Athens! Yn dri a thri,
Cynnal gwledd yn dra urddasol a wnawn ni.
Tyrd, Hippolyta.

              Exeunt Theseus, Hippolyta, Egeus, a'r Dilynwyr.

DEMETRIUS: Mae'r pethau hyn yn edrych yn fach ac anwahanol,
Fel mynyddoedd ymhell wedi'u troi'n gymylau.   190

HERMIA: Rwy'n meddwl 'mod i'n gweld y pethau hyn
Â llygaid sy'n anunion, a phob peth yn ddwbwl.

HELENA: Felly finnau:
A chefais i Demetrius megis gem,
Fy eiddo, ac eto nid fy eiddo.

DEMETRIUS: Wyt ti'n siŵr
Ein bod ni'n effro? I mi y mae'n ymddangos   195
Ein bod o hyd yn cysgu a breuddwydio.
Dybiwch chwi i'r Dug fod yma, a pheri inni'i ddilyn?

HERMIA: Do, a fy nhad.

HELENA: A Hippolyta.

LYSANDER: Ac iddo beri dilyn draw i'r deml.

DEMETRIUS: Os felly, rŷm ni'n effro. Awn ar ei ôl,   200
Ac wrth fynd fe ddwedwn ni'n breuddwydion.   *Exeunt.*

BOTTOM: *Yn deffro.*
Pan ddaw fy nghiw i, gwaedda arna'-i, ac
mi ateba'-i. F'un nesaf ydi, "Pyramus decaf."
Hei-ho! Peter Quince? Flute, y trwsiwr
meginau? Snout, y tincer? Starveling? 'R uwd   205
a redo, wedi sleifio o'ma, a 'ngadael innau'n
cysgu? Mi ges i freuddwyd, tu hwnt i glyfrwch
dyn i ddweud pa freuddwyd oedd hi. 'Dydi dyn
yn ddim ond asyn, os ceisith o esbonio'r
freuddwyd hon. Mi dybiwn i fy mod i'n - 'does   210
'na neb a all ddweud beth. Mi dybiwn i fy
mod i - a thybiwn i fod gen i - ond 'dydi
dyn ond ffŵl patjiog 'tai o'n cynnig dweud
be oeddwn i'n feddwl oedd gen i. 'Dydi
llygad dyn heb glywed, 'dydi clustiau dyn   215
heb weld, 'dydi llaw dyn ddim yn gallu
blasu, na'i dafod amgyffred, na'i galon
o ddweud be oedd fy mreuddwyd i. Mi ga'
i Peter Quince i wneud baled o'r freuddwyd
hon. Fe'i gelwir hi yn "Breuddwyd Bottom",   220
am nad oes *bottom* iddi; ac fe'i cana'
i hi yn ail hanner y ddrama, gerbron y Dug.
Efallai, i'w gwneud hi'n fwy graslon,
y cana'-i hi ar ei marwolaeth hi, Thisby.   *Exit*

GOLYGFA II

Athens, tŷ Quince.
Daw Quince, Flute, Snout, a Starveling i mewn.

QUINCE: Ydych chi wedi anfon draw i dŷ Bottom? Ydi o
wedi dod adref eto?

STARVELING: Di-sôn-amdano. Heb ddim amheuaeth mae o wedi'i
gipio ymaith.

FLUTE: Os na ddaw o, yna fe ddifethir y ddrama.   5
'Dydi hi ddim yn mynd yn dda, ydi hi?

QUINCE: Mae'n amhosib. 'Does 'na ddim un dyn yn Athens
fedr actio Pyramus ond fo.

FLUTE: Na, ganddo fo, yn syml, y mae'r ffraethineb
gorau gan unrhyw ddyn-crefftau yn Athens.   10

QUINCE: Ie, a'r bersonoliaeth orau hefyd; ac mae
o'n *baramour* am lais pêr.

FLUTE: Rhaid iti ddweud *paragon. Paramour* ydi -
Duw a'n gwaredo - rhywbeth amharchus.

Daw Snug y Saer Dodrefn i mewn.

SNUG: Feistri, mae'r Dug yn dod o'r deml, ac mae   15
'na ddau neu dri o arglwyddi ac arglwyddesau
eraill wedi priodi. Petai ein chwarae wedi
mynd yn ei flaen, mi fyddem ni i gyd 'di
gwneud ein ffortiwn.

FLUTE: O'r creadur annwyl yna Bottom! Fel hyn mae o   20
wedi colli chwe cheiniog y dydd* am ei oes.
Allai o ddim 'di osgoi cael chwe cheiniog
y dydd. Petai'r Dug heb roi chwe cheiniog y
dydd iddo fo am actio Pyramus, mi ga'-i
'nghrogi. Mi fyddai o wedi haeddu hyn.   25
Chwe cheiniog y dydd am Pyramus, neu ddim.

Daw Bottom i mewn.

BOTTOM: Ple mae'r hen hogiau? Ple mae'r hen galonnau?

21   Chwe cheiniog y dydd, sef pensiwn.

QUINCE: Bottom! O ddydd gwirioneddol odidog! O awr hapusaf un!

BOTTOM: Feistri, rydw i am sgwrsio am ryfeddodau: 30
ond peidiwch â gofyn beth; achos os dweda'-i
wrthych chwi, 'dydw i ddim yn wir Atheniad.
Mi ddweda' i bopeth wrthych chwi, fel y
digwyddodd.

QUINCE: Gad inni glywed, Bottom annwyl. 35

BOTTOM: Dim gair gen i. Y cwbwl ddweda' i ydi fod
y Dug wedi ciniawa. Heliwch eich dilladau at
ei gilydd, llinynnau da i'ch barfau, rhubanau
newydd i'ch sgidiau; cyfarfod yn syth yn
y palas; pob dyn i fwrw golwg dros ei ran; 40
oherwydd y swm a'r sylwedd ydi i'n drama
ni gael ei chymeradwyo. Sut bynnag, gadwch i
Thisby gael dillad glân; a pheidied hwnnw
sy'n chwarae rhan y llew â thorri'i 'winedd,
achos fe gân' nhw hongian allan yn lle 45
crafangau'r llew. Ac, anwylaf actorion,
dim bwyta nionod na garlleg, am ein bod ni
i anadlu'n bêr ein gwynt, a 'does gen i
ddim amheuaeth ynghylch eu clywed nhw'n
dweud ei bod hi'n gomedi beraidd. Dim gair 50
mwy. Ymaith! Ewch, ymaith! *Exeunt.*

ACT V

GOLYGFA I

Athens. Palas Theseus.

Daw Theseus, Hippolyta, a Philostrate, gydag Arglwyddi a Dilynwyr i mewn.

HIPPOLYTA: Mae'r hyn ddwed y cariadon yma'n rhyfedd, Theseus.

THESEUS: Mwy syn na gwir. Alla' i byth gredu
Yr hen chwedlau hyn, na phetheuach Tylwyth Teg.
Mae gan gariadon ac ynfydion y fath 'menyddiau berw,
Y fath ddychymyg i greu ffurfiau, sy'n canfod   5
Mwy nag y gall y rheswm oer ei ddeall byth.
Mae'r lloerig, y carwr, a hefyd y bardd
Wedi'u gwneud o ddychymyg i gyd.
Gwêl un fwy o ddiawliaid nag sydd yn uffern fawr:
Hwnnw ydi'r ynfyd. Mae'r carwr, 'run mor wyllt,   10
Yn gweld tegwch Helen yn nhalcen sipsi.
Mae llygad bardd, yn troelli mewn gorffwylledd,
Yn tremio o'r nef i'r ddaear, o'r ddaear fry i'r nef;
Ac fel y mae'r dychymyg yn rhoi cyrff
I siapiau pethau cudd, mae pin y bardd   15
Yn eu troi nhw'n ffurfiau, a rhoi i ddim disylwedd
Breswylfa mewn rhyw le, ac enw.
Mae gan ddychymyg cry'r fath driciau
Fel, pe byddai e' yn canfod rhyw lawenydd,
Mae'n deall fod i'r llawenydd hwnnw gludwr;   20
Neu yn y nos, gan ddychmygu peth i'w ofni,
Hawsed ydi tybio fod rhyw lwyn yn arth!

HIPPOLYTA: Ond mae holl stori'r nos o'i hadrodd drosodd,
A meddyliau pawb wedi'u trawsffurfio 'nghyd,
Yn tystio i fwy na delweddau ffansi,   25
Ac yn tyfu'n rhywbeth o gysondeb mawr;
'Waeth pa mor ddiarth a rhyfeddol.

*Daw'r Cariadon i mewn: Lysander, Demetrius,
Hermia, a Helena.*

THESEUS: Dyma nhw'r cariadon, yn llawen a llawn hwyl.
Llawenydd, fwyn gyfeillion! Llawenydd, dyddiau
Irion serch ganlyno eich calonnau!

LYSANDER: Mwy nag i ni   30
Fo yn eich llwybrau rheiol, eich tŷ, eich gwely!

THESEUS: Dewch nawr, pa ddramodigau, pa ddawnsfeydd gawn ni,
I dreulio yr oes hir o deirawr hon
Rhwng ein henllyn ar ôl swper a noswylio?
Ple mae'n harferol drefnydd-miri ni?   35
Pa chwarae sydd ar droed? Oes 'na ddim drama,
I rwyddhau poenau awr o artaith?
Galwch Philostrate.

PHILOSTRATE: Yma, Theseus rymus.

THESEUS: Dywed, pa ddiddanwch sy gen-ti ar gyfer heno?
Pa ddrama? Pa gerddoriaeth? Sut gallwn ni   40
Ddifyrru'r amser segur, os nad â rhyw hyfrydwch?

PHILOSTRATE: Mae yna restr o'r difyrion sydd yn barod:
Dewiswch prun y mae'ch Mawrhydi am weld gyntaf.

                                      Rhoi papur iddo.

THESEUS: "Y frwydr â'r Centawriaid, i'w chanu
Gan eunuch o Atheniad i gyfeiliant telyn."   45
Dim o hyn'na, diolch. Rwyf wedi adrodd hyn'na
I 'nghariad er mawl i fy mherthynas, Hercules.
"Reiat y Bachanaliaid meddw'n
Rhwygo'r canwr o Thracia yn eu llid."
Mae hon'na yn hen sioe; chwaraewyd hi   50
Pan ddois i ddiwethaf o Thebau yn goncwerwr.
"Y teirgwaith tair Awen yn galaru am farw
Dysg, a drengodd mewn tlodi'n ddiweddar."
Rhyw ddychan ydi hyn'na, miniog a beirniadol,
Nad yw'n cydweddu â seremoni briodas.   55
"Golygfa fer flinderus am Pyramus ifanc
A'i gariad Thisby; miri trasedïol iawn."
Miri a thrasiedi? Blinderog a byr?
Hynny yw, iâ poeth ac eira rhyfedd iawn.
Sut y cawn ni gytgord o'r anghytgord hwn?   60

PHILOSTRATE: Y mae 'na ddrama, f'arglwydd, rhyw ddeg gair o hyd,
Sydd mor fyr ag unrhyw ddrama welais i;
Ond o ddeg gair, f'arglwydd, y mae hi'n rhy hir,
Felly mae'n flinderog. Yn y ddrama i gyd

| | 'Does dim un gair pwrpasol, 'run actor sy'n briodol. | 65 |

'Does dim un gair pwrpasol, 'run actor sy'n briodol.   65
Trasiedïol, f'arglwydd, felly mae-hi,
Am fod Pyramus ynddi yn ei ladd ei hun.
Hyn, pan welais ei ymarfer, rhaid cyfaddef,
A wnaeth i'm llygaid ddyfrio; ond dagrau mwy llon
Ni fu i angerdd chwerthin uchel 'rioed eu hwylo.   70

THESEUS: Pwy ŷn' nhw sy'n ei chwarae?

PHILOSTRATE: Dynion dwylo-caled, sy'n gweithio yma'n Athens,
                    Na weithiodd 'rioed â'u meddwl tan yn awr;
                    A nawr maent wedi gweithio'u cof di-'marfer
                    Ar y ddrama yma, ar gyfer eich priodas.   75

THESEUS: Yna mi wrandawn-ni.

PHILOSTRATE: Na, f'arglwydd da,
                    Y mae'n anaddas ichwi. Fe'i clywais i hi,
                    A 'dyw hi'n ddim, dim byd o gwbwl;
                    Oni ellwch chwi gael hwyl yn eu bwriadau,
                    Estynnwyd allan ac a ddysgwyd trwy boen fawr,   80
                    I'ch gwasanaethu.

THESEUS: Mi wranda'-i ar y ddrama.
                    Gan na all undim fod o'i le ar 'rhyn
                    Gyflwynir â symylrwydd a dyletswydd.
                    Dos, dwg nhw i mewn: i'ch llefydd, arglwyddesau.

                                                    Exit Philostrate.

HIPPOLYTA: 'Dwi ddim yn hoff o weld gorlwytho pobol isel,   85
                    A dyletswydd yn trengi'n y gwasanaeth.

THESEUS: Ond, cariad bach, wnei di ddim gweld fath beth.

HIPPOLYTA: Y mae e'n dweud na allan' nhw wneud dim fel hyn.

THESEUS: 'Rŷm ninnau'n fwy caredig, wrth ddiolch am ddim byd.
                    Ein hwyl fydd cymryd yr hyn y byddan' nhw'n gamgymryd;   90
                    A'r peth tu hwnt i dd'letswydd druan, mae urddas
                    Yn edrych ar yr ymdrech, nid ar haeddiant.
                    Lle y bûm i, mae ysgolheigion mawr
                    Wedi amcanu 'nghyfarch â chroeso baratowyd;
                    Fe'u gwelais i nhw'n crynu'n welw eu gwedd,   95
                    Yn oedi ar ganol eu brawddegau,
                    Gan fygu eu hacenion hyfforddedig yn eu hofn,
                    Ac, yn y diwedd, torri i lawr yn fud,

Heb roddi croeso imi. Cred ti fi, cariad,
O'r distawrwydd hwn er hyn fe luniwn groeso; 100
Ac yng ngostyngeiddrwydd dyletswydd wir frawychus
Darllenwn gymaint ag o dafod prysur
O huodledd sosi a rhyfygus.
Mae cariad, felly, a symlrwydd tafod mud
Y lleiaf yn llefaru fwyaf, yn ôl fy neall i. 105

Daw Philostrate i mewn.

PHILOSTRATE: Pan fynno'ch Gras, mae'r Prolog yma'n barod.

THESEUS: Gad iddo ddod. *Sain utgyrn.*

Daw Quince i mewn fel Prolog.

PROLOG: Os parwn sen, gwnawn hynny o 'wyllys da.*
Fel bo ichi feddwl, ni ddown i beri sen,
Ond ag ewyllys da. Dangos medrau symla', 110
Dyna ichi ddechrau'n diben.
Ystyriwch, yna, fe ddown i'ch blino chi.
Ni ddown i feddwl eich bodloni,
Ein gwir ddiben ydi. Y cwbwl i'ch difyrru,
'Dŷm ni ddim yma. Fel bod i chi 'ddifaru, 115
Mae'r actorion yma; ac, wrth eu sioe,
Fe gewch chi wybod y cwbwl, fyddwch eisio.

THESEUS: 'Dyw'r brawd 'ma'n malio dim am atalnodi.

LYSANDER: Marchogodd ei brolog fel ebol gwyllt; wŷr e'
ddim pryd i stopio. Moeswers dda, f'arglwydd: 120
'dydi dweud ddim yn ddigon, rhaid dweud yn iawn.

HIPPOLYTA: Yn wir mae wedi chwarae ar y prolog yma fel
plentyn ar recorder; sŵn, ond nid o dan reolaeth.

THESEUS: Yr oedd ei araith fel tjaen blith-draphlith;
dim o'i le, ond popeth yn anhrefnus. Pwy sy 125
nesa'?

*Gyda Thrympedwr o'u blaen, daw Bottom fel
Pyramus a Flute fel Thisbe, a Snout fel Wal,
a Starveling fel Lloergan, a Snug fel Llew,
fel mewn sioe fud.*

---

108 Fel y gwelir isod, y mae'r araith wedi'i cham-atalnodi.

PROLOG: Wyrda, efallai'ch bod chi'n synnu at ein sioe ni;
Ond synnwch 'mlaen, hyd nes i'r gwir droi'r oll yn glir.
Hwn yma yw Pyramus, wyddoch chi;
A'r wreigdda deg yw Thisby, dyna'r gwir.   130
A hwn, i gyd yn galch a graean, sy'n dynodi
Wal, Wal ddrwg, sy'n cadw y cariadon ar wahân;
Trwy agen yn y Wal, drueiniaid, y maen' nhw'n bodloni
Ar sibrwd. Na foed i neb gan hyn oll fod yn syfrdan.
Hwn â'i lusern, ci, a baich o ddrain,   135
Gyflwyna Lloergan; achos, fel i chi gael gwybod,
Ar loergan - y cariadon - nid ystyriai'r rhain
Hi'n sen i ddod at feddrod Ninus, i gyfarfod.
Hwn, y bwystfil erch, fe elwir hwn yn Llew,
A hi'n dod gyntaf gyda'r nos - y ffyddlon Thisby -   140
Fe'i gyrrodd ymaith, neu'n well ei dychryn hi;
Ac, fel y ffoai hi, ei mantell a ollyngodd,
Yr un y bu i'r Llew â'i enau-gwaed ei staenio.
Ac yna daw Pyramus, yn llanc dymunol, dewrfodd,
A chael mantell gelain ei Thisby ffyddlon yno: 145
Ar hyn, â llafn, â llafn gwaedlyd beius,
Yn ddewr iawn fe drywanodd ei waedlyd ferw fron;
A Thisby, oedd yn oedi yng nghysgod merwydd dyrys -
Fe dynnodd hi ei ddagr, a bu farw hon.
Gadawn i Llew, i Lloergan, Wal a'r Serchog Ddau   150
Hir fyfyrio, tra bôn' nhw yma yn parhau.
          Exeunt Prolog, Pyramus, Llew, Thisbe a Lloergan.

THESEUS: Os gwn i ydi'r Llew i siarad.

DEMETRIUS: Dim syndod, f'arglwydd. Fe all un llew, lle
gwna llawer o asynnod.

WAL: Yn yr egwyl hon, fy rhan ddihafal   155
I, a elwir Snout, yw cyflwyno Wal.
A'r fath Wal, yr wyf am ichi dybio,
Ac ynddi hi ryw hollt neu dwll - ar ôl ergydio -
Trwy ba un Pyramus a Thisby gawn
Yn sibrwd yn aml yn gyfrinachol iawn.   160
Y mae'r calch hwn, y graean, a'r garreg welwch chi
Yn dangos mai'r wal hon, yn wir i chi, wyf fi;
A hon yw'r hollt, o'r dde i'r chwith a â,
Y bydd dau gariad ofnus yn sibrwd drwyddi yma.

THESEUS: Fuasech chwi'n dymuno i galch a blew siarad yn well?   165

DEMETRIUS: Dyma'r partisiwn mwyaf deallus imi erioed ei
glywed yn sgwrsio, f'arglwydd.

Daw Pyramus i mewn.

THESEUS: Mae Pyramus yn nesu at y wal. Distaw!

PYRAMUS: O nos mor erwin olwg! O nos a'i lliw mor ddu!
O nos, ysydd pan na fydd y dydd! 170
O nos, O nos! Gwae fi, gwae fi, gwae fi,
Mae arna'-i ofn na wnaiff hi gadw ffydd!
A thi, O wal, O bêr, O hyfryd wal,
A saif rhwng tir ei thad a minnau!
Di wal, O wal, O bêr a hyfryd wal, 175
Dangos di dy hollt i mi, imi flincio trwot tithau!
Mae Wal yn dal ei fysedd i fyny.
Diolch, gwrtais wal. Am hyn Jove gadwo di!
Ond be welaf fi? Ni welaf fi fy Thisby.
O anfad wal, na allaf weld hapusrwydd drwyddi!
Melltigedig fo dy gerrig am fy nhwyllo i! 180

THESEUS: Yn fy marn i, fe ddylai'r wal, sy'n ymwybodol,
felltithio'n ôl.

PYRAMUS: Na'n wir, syr, 'ddylai hi ddim. "Fy nhwyllo i"
ydi ciw Thisby. Mae hi i ddod i mewn yn awr, ac
rydw innau i'w gweld hi drwy y wal. Fe welwch 185
chi hyn yn digwydd yn union fel y dwedais i.
Dacw hi'n dod.

Daw Thisbe i mewn.

THISBE: O wal, yn aml iawn y clywaist ti f'ochneidio,
Am fy ngwahanu i a'm teg Byramus glew!
Dy feini - bu i 'ngwefusau ceirios i eu mynych swsio - 190
Dy feini di sydd wedi'u gweu â chalch a blew.

PYRAMUS: Mi welaf lais; yn awr i'r hollt â fi,
I sbïo a glywa'-i wyneb Thisby.
Thisby?

THISBE: Fy nghariad wyt, fy nghariad dybia' i.

PYRAMUS: Meddylia beth a fynni, fi yw dy gariad di; 195
Ac fel Limander,* rwyf fi o hyd yn ffyddlon.

196 Limander: bai am Leander, cariad Hero, nid Helen fel y dywedir.

THISBE:	Fel Helen finnau, nes fy lladd gan Ffawd afradlon.	
PYRAMUS:	Shafalus i Procrus - mor driw efô ni fu.*	
THISBE:	Fel Shafalus i Procrus, fi i ti.	
PYRAMUS:	Trwy'r hollt yn y wal anfad hon cusana fi!	200
THISBE:	O, hollt y wal gusanaf, nid dy wefusau di.	
PYRAMUS:	Wrth feddrod Ninny wnei di fy nghwrdd yn syth?	
THISBE:	Pa un ai byw ai marw, fe ddof heb oedi byth.	

Exeunt Pyramus a Thisbe, fesul un.

WAL:	Fel hyn chwaraeais i, sef Wal, fy rhan; Ac wedi gwneud, â'r Wal odd'yma rŵan.	205 *Exit.*
THESEUS:	Yn awr dilewyd y wal rhwng dau gymydog.	
DEMETRIUS:	Dim rhyddhad f'arglwydd pan fo waliau mor barod i glywed heb ddim rhybudd.	
HIPPOLYTA:	Dyma'r ffwlbri gwiriona' glywais i erioed.	
THESEUS:	'Dydi'r gorau o'r math yma'n ddim byd ond cysgodion; a'r gwaethaf yn ddim gwaeth, o'u gwella trwy'r dychymyg.	210
HIPPOLYTA:	Rhaid mai dy ddychymyg di ydi e' 'te, nid eu dychymyg nhw.	
THESEUS:	Os na wnawn ni ddychmygu dim gwaeth amdanyn' nhw na nhw'u hunain, fe allan' nhw basio fel dynion ardderchog. Dyma ddau anghenfil urddasol yn dod i mewn, dyn a llew.	215

Daw Llew a Lloergan i mewn.

LLEW:	Chi, arglwyddesau, y mae eu c'lonnau'n ofni Y ll'goden leiaf enfawr sy'n sleifio ar y llawr, Fe ellwch yma'n awr, efallai, grynu a rhynnu, Pan rua llew garw mewn gwylltineb mawr.	220

---

198   Shafalus i Procrus: bai am Cephalus a Procris, cariadon enwog.

Boed ichi, felly, wybod fy mod i, Snug y saer,
Nid i lew yn fam, ond yn llew ffyrnig, taer;
A phe, fel llew cynhennus, i'r lle hwn y down i,   225
Yn wir, fe fyddai hynny yn beryg iawn i mi.

THESEUS: Bwystfil cwrtais iawn, ac o gydwybod dda.

DEMETRIUS: Y gorau un am fwystfil, f'arglwydd, a welais
                i erioed.

LYSANDER: Y mae'r llew hwn yn llwynog hollol o ran   230
                ei ddewrder.

THESEUS: Gwir; a gŵydd o ran doethineb.

DEMETRIUS: Nid felly, f'arglwydd; achos all ei ddewrder
                ddim cario ymaith ei ddoethineb, ac y mae'r
                llwynog yn cario ymaith yr ŵydd.   235

THESEUS: All ei ddoethineb, mae'n siŵr gen i, ddim
                cario'i ddewrder; achos 'dyw'r ŵydd ddim yn
                cario'r llwynog. Mae'n iawn. Gadwch hyn i'w
                ddoethineb, a gadwch inni wrando ar y lleuad.

LLOERGAN: Mae'r llusern hon yn cynrychioli'r lleuad gorniog -   240

DEMETRIUS: Fe ddylai fod wedi gwisgo'r cyrn ar ei ben. *

THESEUS: Nid cilgant mo'no fe, a 'dyw ei gyrn e' ddim i'w
                gweld o fewn y cylchedd.

LLOERGAN: Mae'r llusern hon yn cynrychioli'r lleuad gorniog;
                Ac mae'n ymddangos mai'r dyn sy yn y lleuad ydw i.   245

THESEUS: Dyma'r camgymeriad mwyaf oll. Fe ddylid rhoi
                y dyn o fewn y llusern. Sut y gall e' fod yn
                ddyn yn y lleuad fel arall?

DEMETRIUS: Feiddith e' ddim dod yno oherwydd y gannwyll;
                achos, welwch chwi, mae hi'n barod yn y pabwyr. *   250

HIPPOLYTA: Rydw i wedi blino ar y lleuad 'ma. Fe hoffwn
                iddo newid.

241   Yr oedd gan gwcwallt, gŵr yr oedd ei wraig yn anffyddlon iddo, gyrn ar ei ben, meddid.

250   Yn y pabwyr: wedi llosgi'n isel.

THESEUS: Y mae'n ymddangos, o olau bychan ei ddoethineb,
ei fod e' ar ei wendid; ond eto, o ran cwrteisi,
yn enw pob rheswm, rhaid inni aros yr amser. 255

LYSANDER: Yn dy flaen, Leuad.

LLOERGAN: Y cwbwl sy gen i i'w ddweud ydi mai'r lleuad
ydi'r llusern yma; finnau ydi'r dyn yn y
lleuad; y baich drain 'ma ydi fy maich drain i;
a'r ci 'ma, fy nghi i. 260

DEMETRIUS: Wir, fe ddylai'r rhain i gyd fod yn y llusern;
am eu bod nhw i gyd yn y lleuad. Ond,
distawrwydd! Dyma Thisbe'n dod.

Daw Thisbe i mewn.

THISBE: Dyma feddrod yr hen Ninny. Ple mae 'nghariad?

LLEW: Oh - 265
*Mae'r llew yn rhuo. Y mae Thisbe yn
gollwng ei mantell ac yn rhedeg ymaith.*

DEMETRIUS: Rhuo da iawn, Lew!

THESEUS: Rhedeg da iawn, Thisbe!

HIPPOLYTA: Disgleirio da iawn, Leuad. Yn wir mae'r lleuad
yn disgleirio'n raslon.
Mae'r Llew yn ysgwyd mantell Thisbe, yna exit.

THESEUS: Llygota da iawn, Lew!* 270

DEMETRIUS: Ac yna fe ddaeth Pyramus.

LYSANDER: Ac felly diflannodd y llew.

Daw Pyramus i mewn.

PYRAMUS: Loer bêr, o diolch am dy heulog dywyniadau;
Loer, am dy fod ti'n awr mor loyw, diolch iti;

---

270 Mae'r llew'n sgytian y fantell, fel cath yn sgytian llygoden, felly yn "llygota'n dda".

	Ac wrth dy raslon, euraid, ddisglair lewyrchiadau,	275
	Gobeithiaf weld yr un gywiraf, Thisby.	
	Ond 'rhoswch chi! O flinder!	
	Ond noda, farchog tyner,	
	Pa wae ofnadwy sy 'ma!	
	Lygadau, 'ŷch chi'n canfod?	280
	Sut gall peth fel'ma fod?	
	O chwadan bren, a brenin bratia'!	
	Dy fantell dda,	
	Beth! Gwaedlyd yma!	
	Dyneswch chi, Dderaon* trwch!*	285
	Chi Ffodiau,* O dyneswch!	
	Edau ac eddi* torrwch;	
	Concrwch, malwch, diweddwch, a lleddwch.	

THESEUS: Gallai'r angerdd hwn, a marwolaeth ffrind annwyl,
             fynd yn agos at wneud i ddyn edrych yn drist.   290

HIPPOLYTA: Gwae 'nghalon, ond rwy'n tosturio wrth y dyn.

PYRAMUS: O pam, O Natur, y bu i ti greu llewod?
             Gan i lew atgas yma anrheithio fy anwylyd:
             Ysydd - na, na - a oedd y decaf fod
             Fu fyw, a garodd, hoffodd, a edrychodd yn dda'i phryd.   295
                 Dowch, treiglwch ddagrau!
                 Ma's, [*Dadweinio'i gleddyf.*] clwyfa gleddau
             Hon, sy'n fron i Pyramus;
                 Ie, y fron chwith, y fron
                 Lle y llama'r galon: [*Trywana'i hun.*]   300
             Fi, marw, fel'ma, fel'ma!
                 Nawr marw wyf,
                 Nawr wedi ffoi yr wyf;
             Mae f'enaid yn y nen.
                 Dafod, colla d'olau;   305
                 Loer, ffoa dithau!   *Exit Lloergan.*
             Nawr marw, marw, marw'r ydys.

                                              Mae'n marw.

---

285   Deraon: *The Furies.*

286   Ffodiau: lluosog Ffawd; eu henwau oedd Clotho, Lachesis, ac Atropos. Rheolent dynged pobl.
        Atropos oedd yn torri edau einioes.

287:    Strimyn hir yw eddi.

DEMETRIUS: Nid dîs, ond ês,* iddo fe; gan mai un yw e'.

LYSANDER: Llai nag ês, ddyn; achos mae e' wedi marw,
dim yw e'.   310

THESEUS: Gyda chymorth llawfeddyg fe allai e' eto ddod
ato'i hun, ac eto fod yn asyn.

HIPPOLYTA: Sut y mae-hi fod Lloergan wedi mynd cyn i
Thisbe ddod yn ei hôl a chael hyd i'w chariad?

THESEUS: Fe gaiff hi hyd iddo wrth olau sêr.   315

Daw Thisbe i mewn.

Dyma hi'n dod; ac mae ei haraith hi o angerdd
yn dod â'r ddrama i ben.

HIPPOLYTA: Fy marn i ydi na ddylai hi gael un mor hir am
un tebyg i Pyramus; rwy'n gobeithio y bydd
hi'n fyr.   320

DEMETRIUS: Mi wnâi brycheuyn droi y glorian, p'run ai
Pyramus, p'run ai Thisbe ydi'r gorau: fo
fel dyn, Duw'n dyst; hi fel gwraig, Duw'n
cadwo!

LYSANDER: Mae hi wedi'i weld e'n barod gyda'r llygaid   325
addfwyn yna.

DEMETRIUS: Ac fel hyn y mae'n galaru, videlicet:*

THISBE: Yn cysgu, 'nghariad?
Beth, marw, 'ngh'lomen fad?
      O Pyramus, cyfoda!   330
         Gair, gair! Yn fud?
         Yn farw? A! bedd hefyd
    Dy lygaid pêr orchuddia.
          Y gwefusau lili yma,
          Y trwyn ceirios hwn,   335
     Y gruddiau melyn-friallu yma,
          Nid ŷnt, nid ŷnt.

---

308   Mae yma chwarae ar eiriau - "ydys" a "dîs" (S. *dice*); un yw "ês".

327   videlicet: Lladin am "sef".

           Gariadon, crëwch helynt.
       Gwyrdd fel cennin ei lygada'.
           Dair Chwaer,* chwychwi,   340
           Dewch ataf fi,
      Yn llaeth-welw'ch dwylo;
           Rhowch hwy mewn gwaed i'w hiro
           Gan ichi yma gneifio
     Â gwellaif ei edau sidan o.   345
           Dafod, dim un gair,
           Tyrd, gleddau diwair,
     Tyrd, lafn, a staenia 'mron!
                    Mae'n ei thrywanu ei hun.
           A, ffarwel, ffrindia'.
           Darfydda Thisby fel'ma.   350
       Adieu'r awron, adieu'r awron.   *Mae'n marw.*

THESEUS: Mae Lloergan a'r Llew ar ôl i gladdu'r meirwon.

DEMETRIUS: Ydyn', a Wal hefyd.

BOTTOM: *Yn codi i fyny.*
                 Na, 'n wir i chi; mae'r wal a wahanai eu tadau
                 i lawr. [*Mae Flute yn codi.*] Hoffech chi weld   355
                 yr epilog, neu glywed dawns werinaidd* rhwng
                 dau o'n cwmni?

THESEUS: Dim epilog, da chwi; gan nad oes ar eich drama
                 angen esgus. Peidiwch byth ag ymesgusodi, achos
                 pan mae'r actorion i gyd wedi marw, 'does dim   360
                 angen beio'r un. Yn wir, pe bai hwnnw a
                 sgrifennodd hyn wedi chwarae rhan Pyramus
                 ac wedi'i grogi ei hun yng ngardas Thisbe,
                 byddai wedi bod yn drasiedi ragorol - ac y
                 mae hi, 'n wir, wedi cael ei gwneud yn   365
                 drawiadol iawn. Ond dowch, eich dawns.*
                 Gadwch lonydd i'ch epilog.

                 Daw Quince, Snug, Snout, a Starveling i mewn,
                 a dawnsia dau ohonynt. Yna â'r crefftwyr ymaith
                 gan gynnwys Flute a Bottom.

---

340   Y Tair Chwaer: Y Tair Ffawd.

356 a 366   Yn y testun Saesneg yr hyn a geir yw "Bergomask dance", sef dawns yn null pobl Bergamo, a
                wawdid am eu gwladeiddrwydd. Felly dawns werinaidd a gwladaidd a olygir yma.

　　　Mae tafod haearn hanner nos wedi taro deuddeg.
　　　Gariadon, gwely: mae-hi bron yn amser Tylwyth Teg.
　　　Mae arna'-i ofn y bydd i ni or-gysgu'r bore ddaw,　　　　370
　　　Lawn cymaint ag y bu i ni or-wylio'r noson hon.
　　　Fe fu i'r ddrama amlwg-arw hon fyrhau
　　　Yn dda symudiad trwm y nos. I'r gwely, ffrindiau mwyn.
　　　Am bymtheg nos cynhaliwn yma ŵyl,
　　　Â miri beunos a phob rhyw newydd hwyl.　　　　375

　　　　　　　　　　　　　　　　　　　　　　Exeunt.

　　　Daw Puck i mewn gyda brws.

PUCK:　　　Yn awr y rhua'r llew newynog,
　　　Yr uda'r blaidd o dan y lloer;
　　　Tra chwyrna'r arddwr trwm, blinderog,
　　　Ar ôl gorffen ei holl lafur.
　　　Nawr y boncyffion llosg sy'n pefrio,　　　　380
　　　Tra bo'r dylluan, ucha'i sgrech,
　　　I'r truan yn ei wae sy'n curio'n
　　　Dod â chof am amdo erch.
　　　Nawr y mae hi'r awr o'r nos,
　　　Pan fydd beddau'n geg-agored　　　　385
　　　Yn gollwng 'sbrydion yn ddi-os
　　　Hyd lwybrau'r fynwent oer i gerdded.
　　　Ac 'rŷm ni - y Tylwyth Teg,
　　　A rêd wrth dorf Hecate* driphlyg,
　　　O bresenoldeb haul yn 'hedeg　　　　390
　　　Gan ddilyn t'wllwch megis breuddwyd -
　　　Yn awr yn llon. Ni fydd llygoden
　　　Yn tarfu ar hedd yr annedd hon.
　　　Anfonwyd fi o'u blaen - mor dlws! -
　　　I sgubo'r llwch tu ôl i'r drws.*　　　　395

　　　Daw Oberon a Titania, Brenin a Brenhines y
　　　Tylwyth Teg i mewn gyda'u dilynwyr o'u hôl.

OBERON:　　　Drwy y tŷ rhowch olau gwreichion,
　　　Ger y tân di-ffrwt a marwaidd:
　　　Boed i goblynnod ac ellyllon
　　　Ysgafn hopian oll yn llwybraidd;
　　　A'r ganig hon, ar fy ôl i,　　　　400
　　　Cenwch, dawnsiwch hi â miri.

389　　Hecate driphlyg: sef duwies ac iddi dri enw; yn y nef ei henw oedd Phoebe; ar y ddaear, ei henw oedd Diana; yn Hades, y Byd Arall, ei henw oedd Hecate.

395　　Glanhau tai oedd un o dasgau Puck.

TITANIA: Cyn hyn, dysgwch chwi eich cân,
I bob gair ei nodyn glân:
Law yn llaw, ein Tylwyth ni
A fendithia'ch trigfan chwi.   405

*Gydag Oberon yn arwain, mae'r Tylwyth Teg yn
canu a dawnsio.*

OBERON: O'r awr hon hyd doriad dydd,
Ein Tylwyth yn eich tŷ a fydd.
At y gwely priodas awn
A'i fendithio fe a wnawn;
A'r hyn a genhedlir yno   410
Fydd yn ffodus byth tra fo.
Bydd y cyplau hyn, sy'n dri,
Yn gywir yn eu cariad cu;
Ni fydd un o namau Natur
Yn eu hepil hwy, yn wir.   415
Ni fydd nam, na bwlch ar wefus
Na man geni, na chraith hysbys -
Ar enedigaeth a ddirmygir -
Ar y plant bach iddynt roddir.
Â'r gwlith hwn cysegrwch chwi,   420
Dylwyth Teg, gan rodio'n ffri,
Bob un 'stafell sy'n y palas
Â heddwch pêr a rhyfedd ras,
Gyda'ch bendith, y perchennog
Fydd am byth yn ddiogel-g'lonnog.   425
Ewch yn awr, ewch chwi yn rhydd;
Ata'-i dewch ar doriad dydd.

                                        Exeunt pawb ond Puck.

PUCK: Os bu i ni gysgodion bechu,
Ystyriwch hyn, a maddau wnewch-chwi:
Mai cysgu wnaethoch, yn ddi-os,   430
Tra bu'r rhithiau yn ymddangos.
Ac nad oes yn y gwaith a welwyd
Ddim mwy o sylwedd nag mewn breuddwyd.
Fwynion rai, na feiwch chwi:
Os maddau wnewch, fe wellwn ni.   435
Ac, fel mai Puck yw f'enw i,
Os cawn ni lwc na haeddwn ni
Yn awr i 'sgoi y tafod neidir,
Fe wnawn ni iawn yn wir cyn hir;
Os na, gelwch chwi fi yn gelwyddgi: 440
Nos da i bawb ohonoch chwi.
Eich dwylo 'nghyd* os ŷm ni'n ffrindiau,
Fe wna' i, Robin, iawn yn ddiau.

                                              Exit.

442   Curwch eich dwylo.